ENVIRONNEMENT ET ÉGLISE

André Beauchamp

ENVIRONNEMENT ET ÉGLISE

Le temps de l'engagement

FIDES

Catalogage avant publication de Bibliothèque et Archives nationales du Québec et Bibliothèque et Archives Canada

Beauchamp, André, 1938-
Environnement et Église: le temps de l'engagement
ISBN 978-2-7621-2926-7

1. Environnement - Dégradation - Aspect religieux - Église catholique. 2. Crise écologique - Québec (Province). 3. Environnement - Protection - Aspect religieux - Église catholique. 4. Éthique de l'environnement. I. Titre.

GF80.B42 2008   261.8'8   C2008-941755-0

Dépôt légal: 4ᵉ trimestre 2008
Bibliothèque et Archives nationales du Québec

© Éditions Fides, 2008

Les Éditions Fides reconnaissent l'aide financière du gouvernement du Canada par l'entremise du Programme d'aide au développement de l'industrie de l'édition (PADIÉ) pour leurs activités d'édition. Les Éditions Fides remercient de leur soutien financier le Conseil des Arts du Canada et la Société de développement des entreprises culturelles du Québec (SODEC). Les Éditions Fides bénéficient du Programme de crédit d'impôt pour l'édition de livres du Gouvernement du Québec, géré par la SODEC.

IMPRIMÉ AU CANADA EN OCTOBRE 2008

LIMINAIRE

L A CRISE DE L'ENVIRONNEMENT n'est pas simplement à nos portes. Elle est au milieu de nous. Nous sommes en plein dedans. Ce n'est pas une crise passagère. Elle est là pour demeurer. Ce n'est pas une crise pour quelques-uns, quelques-unes. C'est une crise qui nous interroge tous et toutes, à des degrés divers, bien sûr, selon l'ampleur de nos responsabilités et de notre empreinte sur le monde. Mais y échapper est illusoire : ce serait se faire une bulle à soi tout seul en se désolidarisant des liens et des structures qui nous inscrivent dans notre société et notre culture, dans un contexte de mondialisation et de globalisation où toutes les sociétés et toutes les cultures sont convoquées. Nous sommes désormais citoyens et citoyennes de la Terre. Plus encore, intrinsèquement reliés aux animaux, aux plantes, au sol, à l'air, à l'eau. Toute évasion est impossible.

Le présent livre est un appel à l'Église catholique québécoise à inscrire la question de l'environnement au cœur de ses préoccupations. Ce n'est pas une mise en accusation ni un cri de détresse. L'Église n'est pas pour moi une entité dont je pourrais me désolidariser en disant eux et ils, même si, ayant beaucoup navigué dans les structures politiques de tous ordres – y compris dans la structure ecclésiale qui est aussi politique –, j'en connais les tensions et parfois les contradictions. J'aimerais que le présent livre soit rassembleur, qu'il propose des défis essentiels plutôt que de dénoncer des oublis, qu'il convainque d'innombrables partenaires plutôt que de réfuter les idées de quelques contradicteurs. Je pense être un croyant de foi chrétienne et catholique. Du moins, je l'espère. Je suis aussi théologien, ce qui est un métier de l'intelligence qui m'a fait travailler interminablement. Je suis également prêtre, très peu en vérité puisque je n'assume pas de responsabilité directe en ce sens depuis une trentaine d'années. Ce qui n'empêche pas d'avoir noué d'innombrables liens pastoraux ici ou là et d'avoir pris part à beaucoup d'entreprises. Actif dans le monde de l'environnement depuis plus de trente ans, j'ai eu l'insigne honneur d'être secrétaire général du ministère de l'Environnement du Québec et président du Bureau d'audiences publiques sur l'environnement (BAPE). Cela m'a permis d'être ainsi au cœur de grands débats de société et de pouvoir rencontrer les meilleurs spécialistes des questions disputées aujourd'hui.

J'estime que, pour l'instant, l'Église catholique du Québec a considéré la question de l'environnement comme une question préoccupante mais relativement périphérique. Cela fait partie de certains soucis d'ordre social, mais n'est pas tout à fait au centre. C'est même accessoire. Je propose une option beaucoup plus radicale (de *radix :* « racine ») qui oblige donc à un déplacement du regard et de l'action.

Les derniers siècles ont été difficiles pour l'Église. L'émergence de la méthode scientifique et la querelle avec Galilée ont jeté un doute sur les savoirs passés et sur la règle de vérité prescrite dans l'Écriture. Puis vinrent les Lumières et le triomphe de la pensée rationaliste. Au

19ᵉ siècle, embourbée dans son alliance avec le pouvoir royal, l'Église n'a pas vu venir la question sociale, particulièrement la question ouvrière, qui a été la question de ce siècle. Malgré sa longue tradition prophétique donnant priorité au pauvre, à la veuve et à l'orphelin, l'Église s'est opposée au début du 20ᵉ siècle au marxisme. Elle en a adopté à son insu la pensée technicienne, l'obsession de la rentabilité et de l'exploitation de la nature. Il fallait, comme disait Teilhard de Chardin, montrer dès ici-bas la plus grande espérance, ce qui voulait aussi dire la plus grande course vers la croissance et le progrès. De crainte d'être mise hors jeu par tous, l'Église n'a pas bien vu venir la crise écologique.

La crise est là maintenant. Elle nous oblige à une révision de nos acquis et à une autre compréhension de la foi. Il s'agit moins d'un échec que d'un défi. Mais quel défi! C'est de cela qu'il sera question dans le présent livre. J'ai essayé de faire un ouvrage relativement bref et ramassé, un essai plutôt qu'un traité théologique. On verra à l'usage si c'était la bonne option.

Chapitre 1

QUELLE EST LA QUESTION ?

L'ANNONCE DU FUTUR est toujours périlleuse. Quand les chemins de fer sont apparus, ils ont donné lieu à une littérature catastrophiste annonçant les pires malheurs. Aujourd'hui beaucoup – dont moi – regrettent la marginalisation du transport ferroviaire au profit du camionnage. L'idée du chemin de fer était géniale surtout pour les passagers, car elle faisait du transport collectif un moyen privilégié de déplacement. On sait que le prétexte pour la création du Canada, cette confédération de colonies britanniques dispersées réunies en une seule entité politique, je n'ose dire un pays car je ne suis pas sûr que le pays soit vraiment né, a été la construction du chemin de fer.

Au Canada aujourd'hui, le chemin de fer est marginal. Le lobby du camion a eu raison de lui. Il n'y a pas non plus de TGV entre Vancouver, Toronto et Montréal. La lutte se joue entre l'avion pour les longues distances et l'auto sur les distances plus courtes. Le transport ferroviaire moins énergivore est hors jeu. C'est bien dommage. Les inquiétudes du début du 19e siècle étaient finalement très exagérées.

Au moment d'écrire le présent livre, il m'a fallu relire quelques classiques. Voici un livre de 1971, écrit par deux vedettes de l'époque, Marcel Chaput, biochimiste, devenu célèbre pour son option indépendantiste, et Tony Le Sauteur, chimiste, fonctionnaire turbulent s'il s'en fut, père du projet *Un fleuve, un parc* et du *Programme des lacs.* La préface du livre est digne d'une anthologie. Il prend la forme d'un communiqué de presse fictif des Nations unies (rien de moins) au 30 septembre 1999.

Communiqué de presse

Nations Unies, 30 septembre 1999

Les pionniers du siècle dernier, qui ont amorcé la révolution industrielle, n'anticipaient certes pas un tel dénouement tragique de leur œuvre. Armés de la meilleure des accréditations – le Progrès – ils avaient entrepris de donner au monde le plus grand des bienfaits – le Bonheur. Comme Dame Science était de la fête, le monde, rassuré, ne se posa pas de questions. La Science étant infaillible, le Progrès ne pouvait faire fausse route.

Aujourd'hui, dernière saison du millénaire avant l'an 2000, la rétrospective d'un siècle et demi de technologie en liberté prend figure d'un champ de bataille. Le Pouvoir ayant ignoré les appels à la dépollution de l'environnement, la jeunesse, qui veut vivre, se voit dans l'obligation de renverser l'Idole aux parfums si délétères.

Le 20e siècle débouche sur l'un des avenirs les plus sombres de l'histoire. Cette année, ce ne sont pas les guerres qui ensanglantent l'humanité. Cynique paradoxe, jamais la paix n'a été plus universelle. Nulle part sur la terre, l'on ne déplore de batailles armées entre nations. Pourtant les fumées âcres des cheminées d'usines ont fait place aux fumées

âcres des usines qui brûlent. Et comme pour asso-
cier dans un même enfer les éléments putrides d'un
environnement désormais invivable, les sapeurs-
pompiers tentent d'éteindre les brasiers géants au
moyen d'une eau gluante qui ne saurait plus servir
à d'autres fins.

Dans les rues de la ville, les restes de végétation
portent les marques d'une nature mourante. Le
bruit infernal des véhicules a multiplié depuis long-
temps le nombre des déséquilibrés mentaux. Même
les mieux-portants étalent sur leur face terreuse
les séquelles de l'empoisonnement chronique qu'ils
n'ont pu éviter. Les moins forts ont déjà succombé,
ne laissant qu'une jeunesse amoindrie et désespérée
pour refaire la civilisation.

Malheureusement, il n'y a qu'un seul remède pour
cette jeunesse qui entend vivre : la guerre à l'indus-
trie, devenue indigne distributrice d'une technologie
inhumaine. Seul espoir de survivance de l'humanité,
la jeunesse s'est vue acculée à la nécessité inévitable
de choisir entre la survie de l'homme ou la techno-
logie polluante. Un seul choix possible : assassiner le
Progrès avant que celui-ci ne l'assassine.

C'est pourquoi, en cette fin d'année 1999, alors
que la terre entière anticipait depuis longtemps de
célébrer, dans une fraternité sans égale, le passage
d'un millénaire à l'autre, les usines flambent dans
un décor apocalyptique où les hordes déchaînées
s'apprêtent à raser la terre infecte que les générations
précédentes leur ont léguée.

Puisse-t-il rester quelques fleurs sauvages, sinon
pour perpétuer leurs espèces, du moins pour en
faire un modeste bouquet à déposer sur la tombe

de la civilisation industrielle qui a refusé de comprendre.

En relisant cela, on ne peut s'empêcher de sourire. C'est tout faux ou presque. La cible des auteurs est le progrès et l'industrie. Ils ont plutôt tort en ce qui concerne l'industrie. Elle a fait des progrès gigantesques. Ils ont plutôt raison en ce qui regarde le progrès, la science, la fuite en avant. Les auteurs n'ont pas vu venir la crise sociale et politique, la montée du terrorisme, l'éclatement des sociétés. Ils n'ont pas pressenti la globalisation. Leur réquisitoire est une dénonciation, un cri d'alarme sur la pollution. Il y a dans ce texte de grandes intuitions, mais des erreurs de perspective.

Il est toujours périlleux de prédire l'avenir et bon nombre d'hyper-anxieux ont eu tort. Rappelons-nous la peur du bogue de l'an 2000 qui a eu toutefois l'avantage de nous forcer à tout réviser et donc à détecter des milliers de failles inaperçues jusque-là et potentiellement dangereuses. À l'inverse, combien de gens ont cru le *Titanic* insubmersible ? Qui a entrevu le krach boursier de 1929, l'effondrement d'Enron et, tout récemment, la dégringolade du dollar américain ?

Qu'est-ce donc qui nous fait dire que la situation actuelle est une crise et une crise majeure ? Pour affirmer cela, il faut dire un mot du système nature ou, mieux, de l'écosystème. Il faut ensuite comprendre l'action de l'être humain sur l'écosystème. Il faut également démontrer pourquoi nous sommes devant une crise réelle et non pas seulement devant une crise d'angoisse de quelques malades.

La nature est un système

Ce qui caractérise la nature, ce sont ses cycles et ses rythmes. Les saisons : printemps, été, automne, hiver. Ses cycles. L'eau s'évapore, devient nuage, se change en pluie, laquelle coule vers les ruisseaux, les lacs, les rivières. L'eau s'évapore à nouveau. Et ainsi de suite, L'herbe se nourrit des minéraux du sol, de l'eau, du soleil. L'herbe est broutée par un consommateur primaire, disons un lièvre, lequel est chassé par un prédateur, un renard ou un épervier. Le prédateur est tué à son tour par un autre. Ou il meurt tout simplement, au bout de son âge. Les charognards le mangent. Le reste de son corps pourrit, est décomposé par les vers et les champignons. Et tout recommence. Il y a des cycles courts, des cycles longs. Des réseaux courts, des réseaux longs. Peu importe. Un principe vital, le soleil, qui fournit l'énergie. Des systèmes physiques : l'eau, l'air, le sol. Le vent, le climat. Et partout la vie. Vie végétale. Vie animale. La nature est une roue incessante où les déchets de l'un deviennent les ressources de l'autre. Compétition et prédation certes, mais aussi d'incroyables processus de symbiose, d'association, de commensalisme. Influencés par Darwin, nous ne pensons qu'à la lutte et à la compétition. Il y a aussi beaucoup de complémentarité.

La nature est un système dynamique où tous les éléments sont en interrelation. Supposons un ruisseau à l'eau froide et claire. On y trouve de la truite qui a besoin de beaucoup d'oxygène. Amenez cette eau dans une mare boueuse où l'eau s'étale et coule très lentement entre les joncs, les algues et les feuilles mortes. La truite n'y peut vivre. Mais peut-être trouverez vous de la carpe, de la barbotte et même de l'anguille.

La nature n'est pas un milieu inerte où l'on pourrait faire ce que l'on veut. La nature est un système d'une complexité incroyable. La nature est une demeure, un milieu. Comprendre comment la nature fonctionne suppose des connaissances multiples en chimie, en biologie, en botanique (science des arbres), en zoologie (science des animaux), etc. Cette science globale du système nature s'appelle l'écologie, ou science du milieu de vie, science de l'environnement. L'être humain a toujours su que la nature est un système complexe et équilibré. Tous les animaux le savent d'ailleurs et y trouvent leur niche. Mais l'être humain est un petit malin. Il aime jouer et tricher, changer les règles du jeu. En général, les animaux dépendent d'un certain nombre de facteurs : la nourriture disponible, l'espace disponible, les prédateurs, les compétiteurs, les maladies. L'être humain semble avoir outrepassé les limites qui paraissaient les siennes. Il ne s'est pas simplement inséré dans la nature. Il a cherché à transformer la nature à ses propres fins. Voyons voir.

L'être humain modifie la nature

Tous les êtres vivants modifient leur milieu. Ils consomment des ressources, se font un nid ou un terrier, produisent des déchets. Pensons aux fourmis ou aux castors. Plus que les autres, les humains le font. À l'origine, les humains étaient cueilleurs et chasseurs, ce qui suppose une population restreinte à faible taux de renouvellement. Il s'agit souvent aussi de populations nomades qui se déplacent sur un territoire donné. Avec l'avènement de l'agriculture, il y a environ 12 000 ans, un changement radical est survenu. De cueilleur et chasseur, l'être humain devient pasteur et agriculteur. Au lieu de cueillir, de chasser et de pêcher, l'être humain aménage le milieu : il se fixe, cultive et spécialise les plantes, apprivoise, dresse et élève des animaux pour se servir de leur force musculaire ou pour les manger. Les métiers se spécialisent, la population grossit ; apparaissent les villages, puis les villes. Tout le rapport au milieu est transformé. La culture urbaine apparaît et se développe. Des empires se constituent. On pense à l'Égypte, à l'Assyrie, à la Grèce, à l'empire perse édifié par Alexandre le Grand, à Carthage, à Rome. Durant ce que l'on peut appeler l'âge agricole, il y eut des crises écologiques importantes, mais elles demeuraient locales et relativement isolées : l'abattage des forêts de la Grèce et le dénuement des montagnes, la catastrophe de l'île de Pâques par suite d'un usage excessif du bois, la chute de l'empire inca à cause d'une mauvaise gestion de l'eau, la désertification de territoires d'Afrique du Nord par une utilisation excessive de l'eau, etc.[1] Il y eut aussi des catastrophes dues à la pollution. On cite souvent l'intoxication par le plomb (saturnisme) dans la population riche de la ville de Rome au temps de l'Empire.

Durant cette époque, il n'y a pas de crise écologique majeure attribuable à l'être humain. La population demeure peu nombreuse à cause des épidémies, des guerres et des famines. En Europe, de 1348 à 1350, on estime que la peste noire faucha le tiers de la population. Les techniques sont assez développées à cette époque, mais l'utilisation de l'énergie reste restreinte. La force productrice est fournie par les muscles des humains et des animaux, ou encore, par les moulins à eau et à vent.

---

1. Sur ces questions, voir J. Diamond, *Effondrement*, et Jean-Marie Pelt, *Le tour du monde d'un écologiste*.

Les consommations demeurent relativement modestes et, si le luxe des riches s'affiche, le confort reste bien relatif. Pour écouter de la musique dans son lit, le roi doit faire venir des musiciens dans, ou tout juste devant, sa chambre. L'agriculture du temps n'est pas intensive et comporte une utilisation constante des sols, notamment par l'assolement et la jachère, l'utilisation des fumiers comme engrais et le maintien de lots restreints isolés par des plantations arbustives.

À partir de la Renaissance, le contexte intellectuel de l'Europe change considérablement. La Réforme ébranle l'autorité de la tradition au profit du libre examen. L'imprimerie permet une diffusion rapide et démocratique du savoir. L'esprit scientifique émerge. Le 18e siècle est surnommé siècle des Lumières, car la pensée philosophique se sécularise entièrement et n'a plus confiance qu'en la raison. De grands philosophes chassent Dieu hors du monde et imposent un rationalisme critique universel.

Le 19e siècle est celui de la première industrialisation. La raison principale en est probablement le développement des sources d'énergie. L'invention de la machine à vapeur (par Papin au 17e siècle) permet le développement de la locomotive et du transport ferroviaire. Il y avait encore durant mon enfance des excavatrices à vapeur mues par une chaudière à charbon. Nous appelions cela une « pelle à steam ». Cela faisait un bruit énorme, mais l'efficacité se comparaît à celle des engins modernes.

La mécanisation a permis à la production de passer du stade artisanal au stade industriel. D'où l'émergence de la condition ouvrière en Angleterre et en France, surtout dans l'industrie du textile. En 1848, paraît le *Manifeste du parti communiste* de Marx et Engels et, en 1867, paraît le premier tome du *Capital* de Karl Marx. Comme le dira

Pie XI en 1931, la matière sort de l'usine ennoblie, mais l'ouvrier en sort dégradé.

Le 20ᵉ siècle s'inscrit dans le sillage du siècle précédent. Aux États-Unis, Taylor se fait l'apôtre de l'organisation scientifique du travail (taylorisme) et Henry Ford met en place la chaîne de montage pour intensifier la production automobile. La diffusion généralisée de l'automobile transformera de façon radicale les transports et l'organisation des villes. La guerre de 1914-1918 fut l'occasion d'un développement industriel intensif qui va mener, après la guerre, à une période euphorique de consommation intense (les années folles), puis à la crise économique à la suite du krach de 1929.

La guerre de 1939-1945 relança la production industrielle à fond de train et prit fin avec l'utilisation de l'arme atomique. Après la guerre, grâce entre autres à l'invention du crédit, on entra dans la production et la consommation de masse. Si on regarde la société d'aujourd'hui avec son style de vie, sa culture urbaine généralisée, le règne de l'électronique, le recours à l'industrie chimique et aux biotechnologies, elle ne ressemble en rien aux sociétés précédentes, ni à la culture agricole, ni même à la société du milieu du 20ᵉ siècle. Alors que la société rurale essayait de s'insérer dans la nature en respectant ses exigences et sa fragilité, que la première société industrielle était limitée dans son expansion par ses moyens, la société actuelle est en mesure de modifier complètement le système Terre. Il suffit d'évoquer les très hauts niveaux de consommation d'énergie (surtout d'énergie fossile : charbon, gaz, pétrole, énergie dite non renouvelable), l'augmentation des déchets (domestiques et industriels) auxquels il faut ajouter les phénomènes de pollution surtout chimiques, l'accélération du rythme de l'innovation, principalement à cause de l'informatique, le dépassement des limites convenues de la recherche et de la transformation (biotechnologies et nanotechnologies). L'être humain ne vit plus sur la Terre en s'y insérant. Il utilise la Terre et la réorganise à ses fins. D'ailleurs déjà, les États n'encadrent plus les populations sur leurs territoires. Par la globalisation et la mondialisation, la Terre et l'humanité ne sont plus qu'un marché unique caractérisé par la libre circulation des biens. C'est ce développement, on peut dire insensé ou plutôt incontrôlé, de l'humanité qui engendre ce que l'on appelle la crise écologique.

L'éveil de la conscience écologique

Le mot écologie (science du milieu, de la demeure) nous vient d'Ernst Haeckel qui a créé le mot en 1868. L'écologie étudie les relations entre les êtres vivants et leur milieu. La sensibilisation écologique a été souvent, au départ, liée au sentiment romantique de la nature. « Plus le cerf solitaire et les chevreuils légers ne paîtront sous ton ombre », chantait Ronsard. Avant le mouvement proprement écologique, il y a eu les courants conservationnistes, soucieux de garder des espaces verts, la nature sauvage, de protéger des écosystèmes, des forêts, des espèces. On a érigé des parcs et des réserves. La problématique reste romantique, esthétique, un peu passéiste. La crise réelle est beaucoup plus grave.

En 1960, paraît un essai de Rachel Carson : *Le printemps silencieux.* L'étude met en évidence l'effet délétère à long terme du DDT et des produits chimiques. S'ils procurent des bénéfices à court terme, ils engendrent aussi à long terme des effets pervers à cause de leur circulation et de leur concentration progressive dans le réseau alimentaire. Le texte de Rachel Carson est à la fois rigoureux et poétique. Il évoque une forêt splendide où il n'y a plus d'oiseaux à cause de cette pollution perverse. C'est, bien sûr, une métaphore de la pollution pernicieuse, métaphore critiquable certes mais extraordinairement puissante. Il est important de signaler la formalisation de l'écologie comme science et la parution de *Fundamentals of Ecology* des frères Odum en 1953 (1re édition). En langue française, le livre de Jean Dorst *Avant que Nature meure*, paru en 1965, jouera un rôle de sensibilisation important.

Outre l'essai de Rachel Carson, il faut mentionner le petit livre d'Aldo Leopold *A Sand County Almanach* (1948). Léopold y parle de la nécessité d'élargir la conscience morale. Rappelant qu'au temps des Grecs l'esclave ne faisait pas partie de l'univers moral des gens alors que, pour nous, il en fait maintenant partie (en 2008 le président Bush a émis le jugement inverse à l'égard des terroristes et les a exclus de l'univers éthique), Leopold souligne la nécessité d'inclure la nature dans notre perspective éthique. Un regard purement utilitaire, une perspective strictement économique sont intenables. Il faut inclure la nature dans notre considération. Un geste est bon, dit-il, quand il respecte la beauté, l'intégrité et l'équilibre de la nature.

Cet essai tout simple aura un retentissement extraordinaire, car il nous oblige à élargir considérablement notre regard éthique. Jusqu'alors, dans la culture chrétienne, l'éthique ne concernait que Dieu et les autres. Bentham (1748-1832), dont l'éthique est par ailleurs si discutable, avait inscrit l'animal dans le champ éthique. Au contraire de Descartes (1596-1650) qui ne voyait dans l'animal qu'une mécanique, Bentham a conscience de la souffrance animale et il inscrit formellement l'animal dans l'univers éthique. Il faut bien dire que François d'Assise (1181-1226) l'avait précédé de plusieurs siècles en ce domaine. Aldo Leopold élargit bien davantage la perspective en incluant ce qu'on appelait autrefois la nature inanimée, c'est-à-dire non seulement les plantes (dans l'univers biblique les plantes ne sont pas des êtres vivants, car elles n'ont pas de sang) mais aussi l'eau, l'air, le sol. L'éthique entre les humains doit inclure le soubassement cosmique de l'être humain, qu'on l'appelle nature, patrimoine ou écosystème importe peu à cette étape-ci de notre réflexion. Aldo Leopold (qui n'avait pas de scrupules à chasser et à couper du bois) semble avoir eu l'intuition que la crise de la nature qu'il observait était aussi une crise de l'humanité. D'où son incitation à faire éclater l'éthique.

La crise écologique acquiert en quelque sorte droit de cité en 1972 avec la publication de l'étude de Dennis L. Meadows commandée par le Club de Rome et publiée sous le titre *Halte à la croissance?* Faisant le point sur l'état des ressources mondiales et les pratiques de consommation, le rapport annonce des seuils de rupture dans un délai relativement court. Le concept est facile à comprendre : il n'y a pas de développement infini, voire indéfini, dans un monde fini. La planète est comme un vaisseau spatial qui doit vivre sur ses ressources. Et il n'y a pas de planète de rechange. La parabole vaut pour toutes les ressources, y compris l'eau, les terres arables, les ressources marines. Elle vaut plus encore pour les ressources fossiles dites non renouvelables, principalement celles qui servent à produire l'énergie : pétrole, gaz, charbon. La crise du pétrole qui resurgit sporadiquement depuis plus de trente ans est le symbole même de cette impasse à laquelle mène la destruction du capital nature. Il y a là une ressource que l'on sait limitée (même si les limites sont encore mal connues) alors que les consommations s'accélèrent. Quelque part, il y a impasse.

La même année que celle de la publication du rapport Meadows se tint à Stockholm la première conférence mondiale sur l'environnement. Ce fut un happening extraordinaire – beaucoup de participants ont parlé d'une grand-messe de l'écologie – imprégnée d'un peu de LSD et de *peace and love* pour sûr, où toutes les dénonciations étaient possibles. Ce fut le premier moment d'une conscience solennelle et mondiale de la crise écologique. Moment de grâce en un certain sens, moment d'utopie dont il a bien fallu se remettre. Mais les travaux préparatoires amorcés dès 1968 avaient permis déjà de bien documenter la question.

Quinze ans plus tard, en 1987, une commission mondiale sur l'environnement et le développement (CMED) mise sur pied par l'ONU et présidée par Mme Gro Harlem Brundtland rend public son rapport *Our Common Future*, qui paraîtra l'année suivante sous le titre *Notre avenir à tous*. C'est un rapport considérable qui fait le point sur l'état de la crise et associe étroitement crise de l'environnement et crise des sociétés. Vingt ans après et malgré toutes les critiques souvent légitimes que l'on ait pu faire à son égard, il faut convenir que le rapport Brundtland a changé notre culture commune par rapport à l'environnement. Il a inscrit l'environnement au cœur des préoccupations économiques et politiques, et cela, de façon définitive. Le propos du rapport Brundtland est simple. Oui, il y a crise. Une crise totale de l'environnement, c'est-à-dire une crise du milieu écologique et du milieu social. Pas d'issue, à moins de tenir compte de l'équité entre les êtres humains. Pas d'issue, à moins d'assurer l'équilibre et la survie du système écologique. D'où le concept de développement durable proposé par la Commission, véritable oxymore, mais, en même temps, une condition nécessaire pour poursuivre la marche en avant.

Le rapport Brundtland était le résultat du travail d'une commission d'experts qui avait procédé à une vaste consultation itinérante. Pour mettre en œuvre les recommandations du rapport, il fallait une rencontre internationale des chefs d'État. Ce fut le Sommet de la Terre à Rio, marqué par une rencontre des chefs d'État et la participation d'ONG (organismes non gouvernementaux) composés d'experts et de militants voués à l'environnement. Malgré les réticences de certains pays, notamment des États-Unis, Rio a cherché à appliquer le rapport Brundtland. Il en est sorti la Convention sur la biodiversité et l'Agenda 21, véritable projet de mise en œuvre du développement durable. Chaque pays était invité à mettre en œuvre la Convention sur la biodiversité, à élaborer son propre Agenda 21, à planifier le développement durable. Travail intense et difficile, mais travail inlassablement poursuivi et donnant lieu à des initiatives de tous genres, comme le Protocole de Montréal sur la couche d'ozone, le Protocole de Kyoto sur les changements climatiques, la rencontre de Johannesburg en 2002.

En cinquante ans, il y a donc eu un énorme chemin parcouru. Entre le cri d'alarme de Rachel Carson en 1960 (*The Silent Spring*), l'effervescence et la dénonciation de la pollution industrielle des années 1970 et l'éveil actuel de la conscience mondiale, il y a une énorme différence. Ce qui, en 1970, ne paraissait que le dada de marginaux est maintenant le centre des préoccupations de la plupart des pays. Je ne dis pas que la situation sur le terrain est meilleure maintenant qu'en 1970 (à mon sens, il y a eu des progrès et des reculs), mais je dis que la conscience mondiale s'est éveillée et mobilisée. Ce fait en lui-même est un événement spirituel colossal. Pour un croyant, une croyante, c'est un signe des temps.

Ce que l'on peut appeler la crise écologique résulte du développement incroyable de l'espèce humaine au sein de la communauté biotique. L'espèce humaine est une espèce relativement fragile dont la survie a été difficile. En ce sens, l'explosion actuelle de l'espèce humaine et la marque qu'elle laisse sur l'écosystème Terre ne sont pas en soi un échec. C'est le résultat pervers d'une trop grande réussite, comme un avion qui franchit le mur du son ou un ballon trop gonflé qui éclate. C'est ce que l'on peut appeler un échec de second niveau.

Dans la nature, l'éclosion d'une espèce animale dépend d'un certain nombre de facteurs naturels tels que la quantité de nourriture disponible, le territoire ou l'espace disponible, les prédateurs, les maladies, la compétition des autres espèces vivant dans la même niche écologique, les conditions climatiques et l'habitat. S'il y a famine, les animaux meurent. S'il y a surpopulation (par exemple, de lièvres), les prédateurs (par exemple, les renards) auront plus de succès dans la chasse. S'il y a trop d'individus sur un même territoire, l'agressivité se manifeste et les animaux s'entretuent ou tout simplement, par la pression des autres, des individus meurent même s'il y a assez de nourriture. C'est fréquent chez les oiseaux, et ainsi de suite. La nature tend à un certain équilibre, équilibre dynamique, changeant, ouvert, mais équilibre tout de même. Actuellement, dans le Québec méridional, la population de chevreuils est très élevée. Or l'hiver 2007-2008 a été extrêmement neigeux. Cette surabondance de neige a nui aux déplacements des chevreuils et a donc limité la surface de leur ravage. Le printemps a été catastrophique, car il n'y avait plus assez de pousses de sapinage à manger dans le territoire du ravage et sortir du ravage demandait trop d'énergie.

À l'hiver 2007-2008, beaucoup de chevreuils sont alors morts de faim. C'est plutôt une bonne nouvelle pour l'espèce. C'est une mauvaise nouvelle pour les individus. Il suffit donc d'un mauvais hiver pour changer l'équilibre d'une population.

Les quatre bombes de la crise écologique

Une des particularités de l'être humain c'est d'avoir en grande partie triomphé de certaines contraintes du milieu. En transformant la nature et en se transformant lui-même, l'être humain s'est affranchi des mécanismes de régulation de la nature. Mais il fait face maintenant comme espèce à des contradictions qui menacent sa survie. On peut parler de quatre bombes :

- la bombe D pour démographie ;
- la bombe P pour pollution ;
- la bombe C pour consommation ;
- la bombe I pour inégalité et iniquité.

La bombe D

La première alerte à la bombe a rapport avec l'explosion démographique de l'humanité. Pour les siècles passés, on possède plutôt des estimations que des évaluations rigoureuses. L'explosion démographique est tout à fait spectaculaire après la guerre 1939-1945. Elle s'explique d'abord par l'amélioration de l'hygiène, une meilleure alimentation, la hausse du confort et du niveau de vie. Ajoutons à cela les progrès de la médecine. Ces facteurs ont eu pour effet de diminuer la mortalité infantile et d'allonger l'espérance de vie. En 1970, on estimait la population mondiale à 3 692 millions, en 1995 à 5 674 millions, en 2003 à 6 301 millions. Les prédictions pour 2025 sont de 7 851 millions.

L'étude de la croissance démographique a été introduite dans les sciences par un économiste anglais, Thomas Robert Malthus (1766-1834). Selon lui, la population augmente selon une progression géométrique (2, 4, 8, 16, 32) alors que les ressources n'augmentent que de façon mathématique (2, 3, 4, 5, 6). Il y a donc fatalement une rupture d'équilibre qui conduit soit à la guerre, soit à la famine. Malthus suggérait donc la restriction volontaire des naissances et s'opposait à l'assistance aux pauvres toujours plus prolifiques. Dans les milieux écologistes, l'alerte à la démographie a été lancée notamment par Paul Erlich en 1970 (il a parlé explicitement de bombe) et relayée en France par René Dumont, un agronome spécialiste de l'Afrique, et le commandant Jacques-Yves Cousteau. J'ai souvent été déconcerté par l'extrémisme de certains militants, souvent biologistes, qui ont mis la bombe démographique en évidence. Ils vouaient parfois une forme de haine à l'égard de l'humanité et certains refusaient même d'avoir des enfants.

Les questions de la démographie, de l'optimum démographique et du contrôle démographique sont extrêmement complexes. La thèse de Malthus est critiquable à bien des points de vue. Par ailleurs, l'explosion démographique du siècle dernier montre à l'évidence que l'espèce humaine doit contrôler sa croissance démographique. L'Église catholique sur ce point me semble avoir prêché un providentialisme naïf et n'avoir traité de la question que sous l'angle de l'éthique sexuelle et, au surplus, d'une éthique sexuelle extrêmement réductrice. Les débats autour d'*Humanæ Vitæ* l'ont bien montré.

La question de la bombe démographique se pose actuellement pour les pays pauvres ou en voie de développement. On pense à la Chine qui a stabilisé sa démographie par l'imposition de la politique de l'enfant unique, politique dure, implacable et critiquable à bien des points de vue, mais dont l'objectif est compréhensible. On pense à l'Inde et à de nombreux pays d'Afrique. Il y a là un énorme défi de changement culturel.

En Occident (et au Québec en deux générations), la transition s'est faite très rapidement. Il semble y avoir une corrélation entre développement et contexte démographique. Les classes aisées ont toujours été moins prolifiques que les classes populaires. La hausse du niveau de vie entraîne une baisse du taux de reproduction. Le niveau d'éducation et le changement de la culture sont également des facteurs déterminants. Enfin, la montée du féminisme et la possibilité pour la femme de contrôler sa propre fécondité ont également transformé radicalement les données du problème. Jamais auparavant les femmes n'avaient pu contrôler leur fécondité. La possibilité de le faire a changé les règles du jeu.

Bref, la question démographique reste préoccupante, mais est en voie de solution.

La bombe P

La bombe P est constituée par la pollution. Tout animal produit des déchets, principalement sous la forme d'excréments. Dans le cycle de la nature, ces déchets sont réintégrés dans l'écosystème. Toutes les sociétés humaines produisent des déchets et polluent d'une certaine façon. Les innombrables épidémies de typhus et de choléra dues à la pollution de l'eau montrent que celle-ci est présente depuis une époque assez lointaine. La ville de Rome était dotée d'immenses égouts et des éboueurs assuraient la collecte des ordures. La production artisanale était également une source notable de nuisances, d'odeurs et de pollution chimique. On peut penser aux tanneries. À Londres au 17e siècle, le Parlement interdit le chauffage domestique au charbon à cause de la pollution qui s'ensuivait sur les édifices parlementaires. Bien avant cela, en France, en 1382, Charles VI promulgua un édit interdisant l'émission de fumées nauséabondes. Bref, la pollution existait autrefois et parfois à une vaste échelle.

De nos jours, la pollution est liée à la production industrielle et agricole et, à moindre degré, à la gestion des déchets urbains. L'intensification incroyable de la production industrielle a eu pour effet d'amener une quantité énorme de nouveaux produits (un nombre excédant de beaucoup les 100 000), qui, pour la très grande majorité d'entre eux, n'ont pas été testés avant leur utilisation. La décennie 1970 a été la grande période de la lutte contre la pollution industrielle. Au départ, l'industrie niait ou minimisait le problème et prédisait une série de catastrophes économiques si on imposait des normes plus sévères. De son côté, l'opinion publique se mobilisait et dénonçait les situations intolérables. La question a envahi l'espace politique.

Peu à peu, les États ont donc élaboré des lois et des règlements pour diminuer la pollution. On a fixé des normes, souvent échelonnées dans le temps avec des seuils horaires, quotidiens, annuels. On a dû mettre en place des systèmes sophistiqués de surveillance et de contrôle. Il a fallu dans bien des cas imposer des amendes, au début dérisoires, mais de plus en plus sévères, puis intenter des procès devant les tribunaux. À mesure que la culture a changé, les entreprises ont compris et ont modifié leurs attitudes. Au lieu de nier la pollution et de se livrer au chantage, elles ont accepté la contrainte sociale et souvent révisé leurs manières de faire. Il y a eu des gains significatifs sur le plan du processus industriel lui-même (par exemple, l'utilisation de l'eau en circuit fermé, les gains énergétiques, la réinsertion de résidus dans le cycle de production, etc.), des innovations nombreuses. La recherche a permis de procéder autrement, en pensant vert dès le départ.

Entre 1970 et aujourd'hui, il y a eu d'énormes progrès en ce qui concerne la pollution industrielle. L'activité industrielle a été profondément transformée. La victoire n'est jamais totale, car toute nouvelle technique conçue pour résoudre une situation difficile engendre vraisemblablement des effets pervers qu'on ne connaîtra que plus tard. De plus, beaucoup d'industries cessent leurs activités dans les pays développés d'Europe et d'Amérique et vont s'établir dans des pays en voie de développement tels que la Chine, l'Inde, la Corée et le Vietnam. Or ces pays désireux d'assurer leur démarrage économique ont souvent des exigences écologiques moindres. Ainsi, il peut y avoir amélioration de la situation environnementale dans les pays qui ont abandonné la production industrielle, mais il y a une perte globale pour l'ensemble Terre puisque les exigences relatives à la production seront moins sévères que dans le pays d'origine. Il y a alors déplacement du pôle économique et dégradation globale de l'environnement.

En fait, les questions émergentes concernent moins l'industrie comme telle (mais la question de l'exploitation des sables bitumineux est énorme) que les autres secteurs d'activité. D'abord, l'industrie militaire et les conflits armés de plus en plus nombreux (quel est le bilan écologique de la guerre en Iraq et en Afghanistan?), ensuite le fait que l'orientation productiviste de l'agriculture entraîne des problèmes quasi insolubles de pollution diffuse, la fuite en avant vers les biotechnologies et enfin l'expansion, au plan mondial, de la culture de l'automobile. Au-delà de la pollution industrielle, ou même de la pollution tout court, il faut mettre en question l'idéologie du progrès et la fuite en avant à tout prix dans la technologie. Jacques Ellul a dénoncé avec véhémence et à propos ce qu'il appelle le «bluff technologique».

C'est le «progrès» lui-même qui nous échappe, la technologie s'imposant à nous et nous dictant ses choix. Nos machines ne pensent pas comme nous. C'est nous qui devons nous adapter à la manière de fonctionner de nos machines. Nous entrons alors dans une rationalité close ou prédéterminée qui devient irrationnelle à force de rationalité. Enfin, des accidents industriels dus à l'erreur humaine, à des défaillances techniques, à l'usure des équipements en place, aux erreurs de conception risquent constamment de se produire. Un avion s'écrase, un pont ou un viaduc s'écroule, un train déraille, un barrage cède, une usine explose. La catastrophe est toujours possible.

La bombe C

La bombe C, c'est la consommation. Depuis les Trente Glorieuses (1945-1975), notre société est devenue au sens absolu du terme une société de consommation. Il y a eu non seulement une hausse significative du niveau de vie, c'est-à-dire un élargissement de la gamme des biens et services mis à notre disposition, mais aussi une révolution mentale qui nous dit que vivre c'est consommer et que c'est par la consommation ostentatoire que nous sommes reconnus par autrui. Chez les calvinistes du 19e siècle, qui, selon Weber, ont incarné l'esprit du capitalisme, la réussite dans les affaires était un signe de prédestination et de salut. Mais l'individu riche vivait dans une grande austérité malgré son statut social. La production et la consommation de masse, l'invention du crédit et le développement incroyable de la publicité ont complètement transformé notre monde. La consommation a maintenant pour fonction non pas de satisfaire un besoin (celui de manger, de se réchauffer, de voyager), mais de conférer un statut social. Nous ne sommes plus des usagers mais des consommateurs. Dans la société québécoise traditionnelle, nous retrouvions le sens de notre appartenance à la société à travers les fêtes collectives et la messe dominicale qui rassemblait la communauté. Ce rôle est assumé aujourd'hui par le centre commercial qui est un temple situé à l'écart. On y entre par de grandes portes, ouvertes sur d'immenses allées éclairées. Ici et là des rotondes et des carrefours. Il y a de la lumière et de la musique, un véritable saint des saints. Chacun de nous doit aller au centre commercial pour retrouver le sentiment d'exister. La religion s'est sécularisée et commercialisée.

L'avare des années 1930 était Séraphin Poudrier (*Un homme et son péché*) qui amassait son or dans le grenier, en cachette, et qui montait périodiquement parler à son or comme à son Dieu. L'avare d'aujourd'hui n'accumule pas, mais il doit posséder les gadgets grâce auxquels on acquiert un statut social. L'adolescent cherche le jean signé, le *squeege* a besoin d'un cellulaire, le résidant de la banlieue doit avoir son cinéma maison. Les stands de journaux sont pleins de magazines qui nous disent ce qui est *in* ou à la mode et ce qui ne l'est pas. Derrière la machine de la consommation, l'univers de la publicité. Ce n'est pas un hasard si en cinquante ans les stations de radio et de télé qui étaient souvent des propriétés d'État soucieuses de qualité et de déontologie sont devenues d'immenses entreprises financières. Au-delà de la simple publicité, les émissions elles-mêmes dans leur conception et par leurs propos favorisent un mode de vie, une manière d'être à la page et d'être branché qui dicte comment devenir quelqu'un aujourd'hui.

La spirale de consommation est en toutes choses. Nous consommons de l'eau (la salle de bain est une véritable salle d'eau), de l'espace (l'étalement urbain et la taille des maisons), de l'énergie (transport, chauffage en hiver, climatisation en été), du papier (qui disait que l'ordinateur ferait diminuer la consommation de papier ?), des vêtements, de la nourriture, des objets impossibles à réparer (cafetières, grille-pain, etc.), des gadgets électroniques désuets dès leur mise en marché. Nous produisons de plus en plus de matières résiduelles et malgré vingt ans de systèmes de récupération, de collecte sélective, de recyclage, la masse des déchets reste constamment la même parce que les consommations augmentent. La bombe dangereuse n'est plus la bombe D, la démographie, mais la bombe C, la consommation. La raison en est simple : une hausse de consommation de 10 % équivaut à une hausse démographique de 10 %. Au moment du rapport Brundtland en 1987, la consommation énergétique par habitant du citoyen canadien excédait environ 40 fois celle du citoyen chinois (et 80 fois celle du citoyen de l'Afrique sub-saharienne). Comme la population canadienne est de 30 millions et celle de la Chine de 1 200 millions, on arrive à une équivalence 40 × 30 = 1 200. La pression canadienne sur les ressources énergétiques de la terre équivalait à celle de la Chine. L'argument est simpliste, je le reconnais, et il faudrait faire entrer ici en ligne de compte de multiples autres considérations qui nuanceraient le tableau.

Dans la thèse de Malthus, la population grandit plus vite que les ressources disponibles. Or, dans notre société, la consommation augmente beaucoup plus vite que la démographie. Le modeste citoyen que je suis consomme probablement 40 ou 50 fois plus que mon grand-père, Joseph-Alphonse Beauchamp mort dans les années 1930 : en énergie, en voyage, en papier, en métaux, en eau. Mon empreinte écologique est bien plus profonde. Si tous les habitants du monde vivaient comme moi, nous aurions besoin de trois planètes Terre. L'argument est spécieux et ne tient pas compte d'une multitude de facteurs. C'est évident. Mais il fait apparaître la contradiction inhérente à notre système : la hausse indéfinie de la consommation aboutit à une impasse.

Cela est d'autant plus évident avec l'explosion économique des pays dits émergents, notamment la Chine et l'Inde. Dans ces pays marqués par des inégalités profondes, une minorité s'enrichit très rapidement et cherche à copier les modes de vie et de consommation des pays occidentaux. C'est la course à la richesse et à la consommation ostentatoires, celle que l'on voit au cinéma ou dans les téléséries américaines. Il faut l'auto, l'appartement de luxe, la vie de jet set à la nouvelle élite. Si, par ailleurs, le niveau de vie global de la population s'améliore, peut-on s'en offusquer ? Les Chinois n'ont-ils pas droit eux aussi au réfrigérateur même si l'approvisionnement en électricité suppose des centaines de nouveaux barrages hydroélectriques ou des centaines de centrales thermiques au charbon ? Les Espagnols n'ont-ils pas droit autant que les Floridiens ou que les Montréalais à l'air climatisé pendant la canicule ? Qui d'entre nous peut reprocher à d'autres d'avoir ce que nous avons ? On aurait pu penser que le développement ailleurs eût pu donner d'autres modèles de consommation. Mais ce n'est pas ce qui se produit. La course à la quantité pour elle-même est un suicide collectif. Je me rappelle une rencontre internationale en 1995 où des représentants d'une délégation chinoise nous ont dit avoir le droit de polluer autant que nous. C'est le nivellement par le bas, la revendication du droit à l'absurde.

Le défi en ce cas est non pas de contraindre les autres et d'empêcher leur développement, mais plutôt d'opérer en nous les changements nécessaires. C'est le thème si provocateur de l'objection de croissance comme, on disait, il y a cinquante ans, l'objection de conscience. La bombe C est probablement la bombe la plus pernicieuse, car elle s'est emparée de notre âme elle-même.

La bombe I

La bombe I, c'est l'inégalité entre les êtres humains et les nations, une inégalité si grande qu'elle entraîne l'iniquité. Ici, ce qui est en jeu de prime abord, c'est moins le milieu écologique comme tel que le milieu social. Une société où la distance se creuse sans cesse entre les riches et les pauvres devient une société dangereuse, toujours menacée d'explosion malgré l'augmentation constante du contrôle et de la répression. L'équité n'est pas égalité. Toute société connaît des inégalités. Mais les inégalités doivent être utiles à la construction de la société dans ce que l'on appelle les économies de la grandeur. Le philosophe américain John Rawls a beaucoup étudié cette question et il a suggéré que les inégalités sont utiles si elles profitent à tous dans une société ouverte où les fonctions les plus hautes restent accessibles à tous (Rawls, *Théorie de la justice*). L'équité suppose toutefois des règles du jeu transparentes valables pour tous et une chance pour chacun de s'accomplir. Si la société est bloquée, si les règles sont constamment violées, il n'y a plus d'équité. Il y a oppression. Et s'enclenche alors le cycle de la violence et de la répression, tant à l'intérieur des sociétés elles-mêmes qu'entre elles. Faut-il s'étonner que la société la plus riche et la plus inféodée au capitalisme, les États-Unis, soit aussi une des sociétés les plus inégalitaires de la planète et qu'elle ait les plus hauts taux de meurtres, de délinquance et d'emprisonnement ? Faut-il tant s'étonner du terrorisme ?

Carolyn Merchant et Leonardo Boff estiment que la manière dont on traite la nature et celle dont on traite les humains se correspondent étroitement. L'exploitation à outrance du capital humain et l'instrumentalisation des pauvres à des fins de profit amènent aussi une prédation de la nature (Boff). Le machisme du mâle sur la femme reflète la domination de l'homme sur la nature (Merchant).

Il y a ici des correspondances extrêmement étroites. Si les rapports entre les hommes se détériorent, la violence s'exerce aussi contre la nature. Si le rapport à la nature se dégrade, cela engendre une détérioration des rapports entre les sexes, entre les différentes classes sociales et entre les nations.

Après la Deuxième Guerre mondiale, on a déployé d'immenses efforts pour construire la paix. On peut penser à la création de l'ONU (après l'échec de la SDN) et de l'UNESCO, au relèvement de l'Europe avec le plan Marshall, aux tensions nées de la guerre froide qui ont été surmontées. Le monde se partageait en trois blocs : le capitalisme, le marxisme et le tiers monde. L'effondrement de l'URSS a signifié la victoire du capitalisme, et le capitalisme triomphant a conduit à la primauté du libéralisme économique sur la politique. L'effet pervers de cette évolution est l'accentuation des inégalités. C'est comme si les règles éthiques et politiques qui maintenaient l'économie à l'intérieur des sociétés étaient disparues de sorte que la loi du profit, du profit légitimé et devenu une fin en lui-même, s'impose désormais à tous et régit les sociétés.

La bombe I mène inexorablement à la violence, à la révolte interne, au terrorisme, à la guerre ouverte. Quand la violence éclate, il n'y a plus d'autre logique possible que celle de la violence et de la destruction. Il n'y a plus alors d'environnement qui compte. Le milieu écologique lui-même sert à assujettir l'ennemi : le priver d'eau et d'électricité, détruire ses réserves et ses récoltes, porter atteinte au milieu. La pauvreté absolue est le pire ennemi de l'environnement, car la personne qui n'a aucun avenir brûlera le dernier arbre qui reste sans penser au lendemain, tuera le dernier chevreuil, mangera les dernières graines. La pensée écologique suppose la prévoyance à long terme. Ce que la misère ne permet pas. Demain, en ce cas, n'existe pas.

La bombe I, définie comme l'inégalité croissante qui conduit à l'iniquité, est probablement la plus complexe des quatre bombes. La bombe D soulève des questions morales très graves, mais non insolubles. La bombe P soulève davantage des questions techniques et politiques. C'est la plus simple. La bombe C pèse d'un grand poids, car elle touche aux valeurs et à la réalisation du bonheur. Elle nous renvoie à nous-mêmes. La bombe I est la plus difficile, car elle menace le rapport à autrui, dans notre pays aussi bien que dans le pays voisin. Jean-Paul II a parlé de la nécessité d'une civilisation de l'amour. La formule semble simpliste ou romantique. Mais nous voilà bien au cœur de la question.

La question éthique par excellence

Ce qui est en jeu dans l'actuelle crise écologique, c'est finalement l'espèce humaine. La Terre n'est pas en danger. Elle continuera à tourner autour du Soleil à moins qu'une chute d'étoiles vienne tout changer. La vie sur terre n'est pas en danger tant que le Soleil continuera de brûler. La diversité biologique est gravement menacée (diversité des espèces, des gènes à l'intérieur de chaque espèce, des habitats), et si l'espèce humaine vient à disparaître, on peut penser que de nouvelles espèces naîtront. Certains mécanismes de régulation de la planète sont menacés, notamment le climat. Ce qui est menacé au bout du compte c'est la survie de l'humanité, par un effondrement subit des ressources, par une dérive génétique, par l'apparition de maladies nouvelles et dévastatrices, par des guerres planétaires, etc. Survivrait-il alors un certain nombre d'êtres humains comme l'évoquent les films de science-fiction ou serait-ce l'extinction totale de l'espèce humaine ? Comme les espèces vivantes sont éphémères (99 % des espèces qui sont apparues sur Terre seraient aujourd'hui disparues) peut-être sera-ce la fin de l'espèce humaine ? Cette hypothèse dépasse tellement l'échelle de l'expérience humaine individuelle qu'elle ne sert finalement qu'à nourrir l'angoisse. Les millénarismes sont toujours menaçants.

Le drame réside en ceci : l'actuelle crise écologique ne vient pas du dehors comme une catastrophe cosmique qui nous tomberait dessus. C'est une crise dont nous sommes responsables. Une crise anthropique. Une crise attribuable au développement insensé de l'espèce humaine et dont l'origine est précisément la capacité de notre espèce à modifier l'environnement par le moyen de la science et de la technique, par l'explosion démographique, la pollution, la consommation, l'inégalité des distributions.

Il y a à cela un corollaire. Si la crise dépend de nous, son règlement dépend aussi de nous. La fuite en avant est encore une fuite, un refus d'agir de façon responsable. Ce serait un suicide. Nous avons humainement la responsabilité éthique de préserver notre avenir. Sans nier l'importance des autres défis, voilà probablement le défi éthique le plus grave de notre époque, le plus global, le plus complexe, le plus long à relever. Ce n'est pas nécessairement le plus urgent, mais celui qui demandera les actions les plus profondes. Je comprends très bien qu'un individu se ferme les yeux en se disant que dans vingt ans il sera mort et que ce sera le problème des autres. Je comprends très bien que des nations ou des États veuillent tirer leur épingle du jeu en mettant la main sur les dernières ressources de la planète (actuellement c'est la course à l'énergie, demain ce sera l'eau, le bois, etc.) et en poussant à l'extrême la puissance militaire. Les États-Unis agissent actuellement en ce sens non pas parce qu'ils sont plus méchants que les autres, mais parce qu'ils dominent le monde et qu'ils sont terrifiés par la peur. Le monde sera peut-être demain dominé par la Chine, l'Inde ou l'Amérique du Sud. Sera-ce mieux ?

À l'automne 2007, j'ai fait partie de la délégation envoyée par le Vatican à la rencontre des parties au Protocole de Montréal sur la protection de la couche d'ozone. Cette entente internationale a été prise dans la foulée de Rio. Toutes les nations du monde se sont concertées pour éviter une dégradation de l'atmosphère. Malgré la diversité des économies, des cultures et des enjeux, malgré les rivalités et les guerres régionales, j'ai trouvé cela profondément émouvant. J'avais devant moi l'humanité réunie réfléchissant sur elle-même, se réjouissant de ses succès et s'engageant pour les années à venir.

Le Protocole de Montréal est une des conventions internationales qui marchent bien et qui donnent des résultats meilleurs que prévu. C'est un signe d'espoir pour l'humanité. Malgré nos haines et nos rivalités, nous pouvons ensemble changer des choses, moyennant un effort constant de dialogue éclairé par la science et soutenu par un sentiment commun d'urgence. Il faut une mobilisation de tous.

Si l'Église catholique se veut véritablement catholique, universelle, ne doit-elle pas faire sienne la cause de l'environnement qui concerne précisément l'humanité en tant qu'espèce ? Une cause qui dépasse en importance toutes les autres, quelque sérieuses qu'elles soient.

Chapitre 2

LE TRAITEMENT DE LA QUESTION ÉCOLOGIQUE AU SEIN DE L'ÉGLISE CATHOLIQUE

Comme nous l'avons vu précédemment, l'intérêt pour la question écologique date d'une cinquantaine d'années. C'est donc une question relativement récente. Alors que le Conseil œcuménique des Églises a réagi assez rapidement et s'est doté d'instruments d'analyse et d'intervention, l'Église catholique a manifesté moins d'empressement, reconnaissant globalement la question mais sans lui donner beaucoup d'importance stratégique. Ainsi le concile Vatican II, terminé le 7 décembre 1965, est muet sur la question et a même des paroles surprenantes, presque choquantes pour des écologistes convaincus. La lettre encyclique de Paul VI sur le développement des peuples qui date de 1967 insiste sur le développement de tout l'humain et de tous les humains, mais ne fait aucunement mention des limites inhérentes au développement dans une perspective écosystémique. Toutefois, lors de la Conférence de Stockholm en 1972, Paul VI a fait parvenir à Maurice Strong une lettre affirmant que l'être humain et son environnement naturel sont intimement liés et qu'ils partagent un même sort ici-bas (Vaillancourt, 1997, p. 321). Dans l'encyclique inaugurale de son pontificat

(*Le Rédempteur de l'homme*, 4 mars 1979), Jean-Paul II adopte la perspective du progrès et insiste sur la « *royauté de l'homme* ». Il aborde la question sous l'angle moral (l'avoir et l'être, le matérialisme) et social. C'est la question de la justice et de l'inégalité entre les peuples qui le préoccupe. Jean-Paul II dénonce les structures et les mécanismes économiques qui créent l'oppression. Il y a tout juste une petite allusion à la crise écologique :

> Tout en soumettant l'homme aux tensions qu'il crée lui-même, tout en dilapidant à un rythme accéléré les ressources matérielles et énergétiques, tout en compromettant l'environnement géophysique, ces structures font s'étendre sans cesse les zones de misère et avec elles la détresse, la frustration et l'amertume.
>
> Le Rédempteur de l'homme, n° 16, p. 56-57

Sept ans après Stockholm et le Club de Rome, c'est assez mince. L'alerte mondiale était déjà donnée. Il se peut que l'insistance sur la crise démographique et donc sur des mesures de *birth control* ait rendu l'Église réticente. Les préoccupations d'ordre écologique sont sans doute considérées comme propres aux riches. Plus de 20 ans plus tard, le philosophe Luc Ferry traitera encore le mouvement écologique de fasciste.

Primauté de la question sociale

En fait, tout au long du 20ᵉ siècle, la question qui préoccupe l'Église est ce que l'on peut appeler la question sociale. Très inféodée à la royauté, l'Église catholique, particulièrement en France, n'a pas vu venir la révolution. Elle a été farouchement anti-démocratique et antirévolutionnaire, ce qui l'a amenée, à la génération suivante, à pactiser avec la bourgeoisie. À l'époque de l'émergence de la révolution industrielle et de la naissance du prolétariat, elle a eu tendance à prêcher le respect de l'ordre établi et à voir le problème de la pauvreté des classes populaires comme une affaire de charité plutôt que de justice. Marx et Engels publient *Le Manifeste du Parti communiste* en 1848, et ce n'est que plus de quarante ans plus tard que Léon XIII, en 1891, traitera de la question ouvrière dans sa fameuse lettre *Rerum Novarum*. C'est alors le début de ce que l'on appelle la pensée sociale de l'Église. En 1917, la révolution russe met en place un pouvoir résolument athée et matérialiste imposant le communisme (en fait le marxisme-léninisme). Tout au long du 20ᵉ siècle, l'adversaire principal de l'Église demeure le socialisme en tant que doctrine athée et totalitaire. Avec le recul, cela nous fait presque sourire, mais il faut comprendre l'encerclement qu'a subi l'Église après l'émergence de la Russie, puis de l'URSS, la mise en place du rideau de fer et la constitution du bloc de l'Est, la partition de l'Allemagne et la menace que faisait planer le courant socialiste-communiste sur les autres pays d'Europe, notamment l'Italie et la France. Les empires coloniaux ont été le théâtre d'innombrables conflits (Algérie, Maroc, Cuba, Corée, Chine, Viêt-Nam). Ils ont été l'objet d'alliances stratégiques et parfois militaires visant à faire passer les régimes politiques d'une allégeance à l'autre. L'Église a manifestement eu très peur que le communisme ne s'impose mondialement.

À l'Est, les persécutions religieuses étaient très dures. La lutte idéologique a été terrible. Par exemple, toutes les informations sur les exactions de Staline, sur les goulags, la répression des paysans, la persécution religieuse, étaient considérées comme de la propagande par les intellectuels de gauche. Il y a des paroles de Sartre qui font frémir.

C'est donc sur le terrain social que la lutte devait se faire (c'est encore sur ce terrain que se fait la lutte au libéralisme). Il fallait en quelque sorte vaincre l'ennemi sur son propre terrain et montrer la meilleure efficacité sociale de la foi. Derrière l'argumentaire, on sent toujours l'accusation de Marx : la religion est l'opium du peuple. Il faut donc démontrer l'efficacité de l'engagement religieux ici et maintenant. De l'action catholique aux prêtres ouvriers, de la pensée sociale de l'Église aux innombrables initiatives de promotion sociale, il fallait montrer dès ici-bas une plus grande espérance, plus efficace à long terme, plus respectueuse de la personne, de sa liberté, de sa dignité, de sa destinée spirituelle.

Jean XXIII se fera le promoteur de la paix entre les peuples et Paul VI dira que le développement est le nouveau nom de la paix. En élaborant le concept de développement intégral (qu'on se rappelle *L'humanisme intégral* de Jacques Maritain) et donc en mettant l'accent sur le développement non matériel et sur la justice, on défend implicitement l'idée de croissance. En luttant sur le terrain de la justice sociale contre le marxisme, l'Église épouse inconsciemment l'idéologie productiviste véhiculée par ce dernier. Il faut produire, exploiter la nature à l'extrême, développer la technique. Sans qu'on s'en rende bien compte, la question écologique est en quelque sorte occultée.

J'ai cité un texte de 1979 dans lequel Jean-Paul II effleure la question écologique. Il y revient en 1987 à l'occasion du 20e anniversaire de *Populorum Progressio*. La lettre de Jean-Paul II s'appelle *Sollicitudo Rei Socialis* et a été traduite en français sous le titre *L'intérêt actif de l'Église pour la question sociale.*

Jean-Paul II aborde (au numéro 25) la question de la démographie:

> On ne peut nier l'existence, spécialement dans la zone Sud de notre planète, d'un problème démographique de nature à créer des difficultés pour le développement. Il est bon d'ajouter tout de suite que, dans la zone Nord, ce problème se pose en termes inverses: ce qui y est préoccupant c'est *la chute du taux de natalité,* avec comme répercussion le vieillissement de la population, devenue incapable même de se renouveler biologiquement. Ce phénomène est susceptible de faire obstacle au développement. De même qu'il n'est pas exact d'affirmer que les difficultés de cette nature proviennent seulement de la croissance démographique, de même il n'est nullement démontré que *toute* croissance démographique soit incompatible avec un développement ordonné.
>
> *L'intérêt actif de l'Église*
> (*Sollicitudo Rei Socialis,* nº 25, p. 43)

Le pape critique ensuite les efforts déployés pour ralentir la croissance démographique dans les pays en voie de développement. Il les condamne de manière catégorique. Tout en formulant les réserves habituelles sur le plan éthique, le pape reconnaît l'existence du problème («on ne peut nier l'existence... d'un problème démographique»), mais il se montre incapable de voir que ce problème exige une prise de responsabilité dans le premier monde comme dans le troisième. S'il y a un problème, il faudrait reconnaître que l'être humain a en conséquence le devoir de ne pas se reproduire inconsidérément et que ce devoir doit être assumé de multiples manières au sein de nos sociétés. Pour Jean-Paul II, une telle considération était impensable.

Plus loin dans la même lettre, Jean-Paul II aborde la question écologique sous l'angle du cosmos et de la limite des ressources :

> Le caractère moral du développement ne peut non plus faire abstraction du respect *pour les êtres qui forment* la nature visible et que les Grecs, faisant allusion justement à l'*ordre* qui la distingue, appelaient le « cosmos ». Ces réalités exigent elles aussi le respect, en vertu d'une triple considération sur laquelle il convient de réfléchir attentivement.
>
> La *première* consiste dans l'utilité de prendre *davantage conscience* que l'on ne peut impunément faire usage des diverses catégories d'êtres, vivants et inanimés – animaux, plantes, éléments naturels – comme on le veut, en fonction de ses propres besoins économiques. Il faut au contraire tenir compte de la *nature de chaque être* et de ses *liens mutuels* dans un système ordonné, qui est le cosmos.
>
> La *deuxième considération* se fonde, elle, sur la constatation qui s'impose de plus en plus peut-on dire, du *caractère limité des ressources naturelles*, certaines d'entre elles n'étant pas *renouvelables*, comme on dit. Les utiliser comme si elles étaient inépuisables, avec une *domination absolue*, met sérieusement en danger leur disponibilité non seulement pour la génération présente mais surtout pour celles de l'avenir.
>
> La *troisième considération* se rapporte directement aux conséquences qu'a un certain type de développement sur la *qualité de la vie* dans les zones industrialisées. Nous savons tous que l'industrialisation a toujours plus fréquemment pour effet, direct ou indirect, la contamination de l'environnement, avec de graves conséquences pour la santé de la population.
>
> Encore une fois, il est évident que le développement, la volonté de planification qui le guide, l'usage des ressources

et la manière de les utiliser, ne peuvent pas être séparés du respect des exigences morales. L'une de celles-ci impose sans aucun doute des limites à l'usage de la nature visible. La domination accordée par le Créateur à l'homme n'est pas un pouvoir absolu, et l'on ne peut parler de liberté « d'user et d'abuser », ou de disposer des choses comme on l'entend. La limitation imposée par le Créateur lui-même dès le commencement, et exprimée symboliquement par l'interdiction de « Manger le fruit de l'arbre » (cf. Gn 2, 16-17), montre avec suffisamment de clarté que, dans le cadre de la nature visible, nous sommes soumis à des lois non seulement biologiques mais aussi morales, que l'on ne peut transgresser impunément.

Une juste conception du développement ne peut faire abstraction de ces considérations – relatives à l'usage des éléments de la nature, au renouvellement des ressources et aux conséquences d'une industrialisation désordonnée – qui proposent encore une fois à notre conscience la *dimension morale* par laquelle se distingue le développement.

L'intérêt actif de l'Église, n° 34
(*Sollicitudo Rei Socialis*), p. 66-68

Ici encore, l'analyse reste sommaire et plus préoccupée de morale que de compréhension en profondeur. Le premier argument, celui du cosmos, est formellement écologique mais traité de façon philosophique. Le deuxième argument, celui des ressources non renouvelables, est abordé sous l'angle de l'éthique intergénérationnelle ; le troisième argument renvoie sans plus à la pollution. On remarquera que l'argumentation sur le pouvoir de gérer la création confié à l'être humain et sur ses limites intrinsèques prend appui sur Gn 2, 16-17, c'est-à-dire sur le second récit de création et non sur le premier (Gn 1, 28).

Le 8 décembre 1989, le pape Jean-Paul II a publié, à l'occasion de la journée mondiale de la paix (1er janvier

1990), un texte intitulé « La paix avec le Créateur et avec toute la création ». C'est un beau texte à saveur spirituelle qui souligne la beauté de la création et l'obligation morale qu'a l'être humain de changer de cap. L'analyse est peu poussée. L'auteur cite Genèse 1, 28 et 1, 31 et mêle le second récit de la création et le premier. Il cite ensuite Romains (8, 2- 21) sur l'assujettissement de la création au péché et Apocalypse (21, 5) sur l'attente d'une terre nouvelle. Il définit la crise écologique comme un problème moral (il évoque la couche d'ozone et l'effet de serre) et dénonce le non-respect de la vie. Il prône une meilleure gestion globale de la Terre. « Les concepts d'ordre de l'univers et d'héritage commun mettent l'un et l'autre en relief la nécessité d'un système de gestion des ressources de la terre mieux coordonné sur le plan international. » Il faut donc dépasser les limites des États. Jean-Paul II fait ressortir l'urgence d'une solidarité nouvelle, exhorte à la lutte à la pauvreté, évoque le péril de la guerre et suggère de modifier le style de vie.

Au total, un beau texte, très inspirant, mais dont le niveau d'analyse reste très global.

Depuis la publication de ce texte sur la paix avec la création, il y a eu de nombreuses références et allusions de toutes sortes. Mais il est très étonnant qu'il n'y ait pas eu de réflexion approfondie. On aurait pu s'attendre à un synode des évêques, à des travaux, à des colloques d'envergure, voire même à une encyclique sur le sujet.

Je pense que la méthode de travail du pape est quelque peu discutable. Dans ses dernières lettres, Paul VI s'inspirait ouvertement d'auteurs contemporains et il prenait appui sur des travaux internationaux produits par l'UNESCO et d'autres organismes de ce type. Jean-Paul II s'en tient à des sources chrétiennes, ce qui enferme souvent sa pensée dans un genre de solipsisme : Jean-Paul II qui cite Jean-Paul II qui cite Jean-Paul II, etc. Jean-Paul II n'utilise pas les concepts propres à l'écologie.

Pour parler théologiquement de l'environnement, il faut préalablement faire état des lieux, comprendre le fonctionnement de la nature, cerner les crises, analyser les scénarios, etc. L'écologie demeure une science en train de se faire, fragile, avançant de façon empirique. Par exemple, à propos des changements climatiques, l'attention s'est d'abord concentrée sur les pluies acides, puis sur la couche d'ozone. On s'intéresse maintenant au réchauffement de la planète, car les observations des trente dernières années ont permis de perfectionner les modèles et de prédire les transformations à venir avec plus de précision. On peut comprendre que les responsables de l'Église veuillent se tenir à distance des controverses scientifiques. Mais de Léon XIII à Paul VI, la pensée sociale de l'Église n'a pas hésité à utiliser les catégories usuelles sur le travail, la rémunération, la socialisation. On peut penser que la méthode mise en œuvre par Jean-Paul II correspondait davantage à sa propre personnalité qu'à l'exigence de sa tâche. D'où le ton souvent moralisateur. Cela révèle l'ampleur de la tâche à relever en ce domaine.

Signalons que, dans un article fouillé, Jean-Guy Vaillancourt estime que Jean-Paul II a un petit côté conservationiste franciscain (Vaillancourt, 1997).

Bien sûr, au-delà des déclarations formelles de l'Église romaine officielle, il y a eu de très nombreuses interventions des Églises locales (et leur nombre va croissant). Il faudrait aussi tenir compte de la recherche théologique courante et de nombreuses publications. Les limites du présent ouvrage ne me permettent pas de faire un survol convenable. Signalons, pêle-mêle, Coste et Ribaud (1991),

Boff (1994), Hall (1998), Drewerman (1993), Fox (1995), Klaine (2000 et 2000b).

L'intérêt pour l'écologie au Québec

Le Québec n'a pas été un pionnier en matière d'environnement. Par exemple, pour l'assainissement des eaux, le Québec avait en 1980 quinze ans de retard sur l'Ontario et les États-Unis. Les années 1960 ont été les années de la Révolution tranquille et de l'affirmation nationale. On était alors en pleine euphorie du progrès. En témoigne cette chanson éponyme de Stéphane Venne chantée par Renée Claude :

> C'est le début d'un temps nouveau
> La terre est à l'année zéro
> La moitié des gens n'ont pas trente ans
> Les femmes font l'amour librement
> Les gens ne travaillent presque plus
> Le bonheur est la seule vertu

Dans les années 1970, le Québec a soudain pris conscience de la pollution. En 1972, l'Assemblée nationale du Québec a adopté la *Loi sur la qualité de l'environnement* (L.R.Q., c Q-2), une loi-cadre très audacieuse qui tirait profit des découvertes de l'époque et des discussions entourant la Conférence de Stockholm. Mais il a fallu attendre les années 1980 pour qu'on amorce l'assainissement urbain, que soit créé le ministère de l'Environnement et pour que la méthode d'évaluation et d'examen des impacts soit mise en place.

Le rattrapage a été toutefois rapide et, dans les années 1980 et 1990, les citoyens ont pris de plus en plus conscience des enjeux écologiques. Au début des années 1980, la question des pluies acides a beaucoup retenu l'attention. Il faut parler aussi des nombreux projets de barrages et de lignes de transmission d'Hydro-Québec. Un des bâtisseurs du Québec moderne et une pionnière dans les études d'impact, Hydro-Québec a souvent suscité des débats. Pensons à la traversée du fleuve Saint-Laurent à Grondines-Lotbinière en 1987, à la discussion sur la phase II de la baie James vers 1990, au débat sur l'énergie en 1995. Puis, la question de l'eau est venue occuper le devant de la scène avec la Commission sur la gestion de l'eau au Québec (1999-2000). L'aménagement du territoire et surtout l'énorme extension de la production porcine et plus largement de l'agriculture productiviste sont l'objet de grands débats depuis plus d'une dizaine d'années. La gestion forestière n'est pas en reste. Il en est de même de la gestion des matières résiduelles et du traitement et de l'élimination des déchets.

L'intérêt pour l'environnement varie selon la situation économique ou les événements comme l'incendie de BPC à Saint-Basile en 1988. De 1978, époque où j'ai commencé à m'intéresser à ces questions, à 2008, la prise de conscience me semble avoir été constante et de plus en plus profonde. Des observateurs ont signalé que, comme, après 1945, le nationalisme n'avait plus de légitimité en Allemagne à cause de l'aventure fasciste, la militance verte y avait en quelque sorte servi de refuge à une conscience nationale incapable de se dire. Je pense qu'il y a un peu de cela dans la perception de l'environnement au Québec. Depuis la défaite du référendum en 1980 et surtout du second en 1995 (49,4 % de oui, 50,6 % de non), le nationalisme est en veilleuse. Il s'exprime, selon moi, à travers une affirmation du territoire, à travers des dossiers symboliques majeurs : l'eau, la forêt, le paysage, la production porcine, le déluge du Saguenay (1996), etc.

Ici encore, Hydro-Québec joue un rôle de premier plan : force d'identification lors du verglas (1998), véritable repoussoir dans le dossier du Suroît (2006). Des films comme *Bacon* et *L'erreur boréale* jouent sur la cause écologique et la perte de contrôle du territoire et de son aménagement, sur l'avènement de la mondialisation comme perte d'identité.

Depuis vingt ans, au Québec comme ailleurs, l'échec du socialisme réel et le triomphe du capitalisme ont affaibli la militance et la critique de gauche au sein du discours social. Il n'est pas interdit de penser qu'une voie de secours pour continuer d'affirmer des revendications en ce sens a précisément été la cause écologique. La nature devient en quelque sorte le symbole de l'humiliation des laissés pour compte de notre société et de la lutte pour la justice. C'est la bombe I présente sous une autre forme. Le discours de la gauche au Québec a trouvé dans les questions du féminisme et de l'environnement un terrain fertile pour son renouvellement. Très présente dans les luttes sociales, l'Église du Québec est intervenue dans ces débats.

Le 28 mai 1981, le Comité des affaires sociales de l'Assemblée des évêques du Québec fait paraître une déclaration intitulée « Les chrétiens et l'environnement ». La déclaration insiste sur le fait que l'environnement nous concerne en tant qu'êtres biologiques, en tant que consommateurs, en tant que victimes, tout comme elle concerne les gouvernements et l'industrie (paragraphes 1 à 9). Il s'agit d'une question de vie ou de mort. La crise est sérieuse, la situation se dégrade, les déséquilibres s'accentuent, la pollution se fait sentir à long terme et le rythme des dégradations s'accélère. Sans oublier le risque nucléaire (paragraphes 10 à 18). C'est une question qui interpelle la conscience chrétienne. Rappelant la pensée sociale de l'Église, le texte affirme que la crise écologique est un nouveau visage du péché dans notre monde. Il y a un lien à faire entre l'Évangile et la prise en charge du monde dans lequel nous vivons. Le texte rappelle la nécessité de mener une vie simple. La bénédiction de la Genèse ne doit pas servir de prétexte à une gestion violente de la Terre. Le texte fait mention de la doctrine de la destination universelle des biens (paragraphes 19 à 27). Enfin, le document incite à ne pas céder à un sentiment d'impuissance et à passer à l'action : consommer de façon responsable, récupérer et recycler, joindre une association, utiliser les transports en commun, poursuivre des efforts en éducation, s'engager dans la politique (paragraphes 28 à 36).

Le ton de la Déclaration est remarquable par sa simplicité et sa modération. Il n'est pas du tout alarmiste et veut motiver le lecteur à entreprendre une action qui soit à la mesure de ses moyens. Le niveau d'analyse reste sommaire : les éléments de la crise sont identifiés mais peu articulés dans une pensée intégratrice. La partie théologique se limite à des considérations morales assez décousues.

Dix ans plus tard, en 1991, le Comité des Affaires sociales de l'AEQ a republié le document en y ajoutant un court texte de neuf paragraphes faisant état de l'aggravation de la crise, de sa dimension internationale, de l'importance de la participation du public, de l'engagement des chrétiens, de la nécessité de fournir une éducation en matière d'environnement. Le texte cite longuement l'encyclique *Centesimus Annus*.

En 2001, le Comité des affaires sociales de l'Assemblée des évêques faisait paraître son message du premier mai :

« Cri de la terre et cri des pauvres ». Dans le prolongement du grand jubilé, le texte met en évidence le lien entre la crise écologique et la question sociale. Se référant au rapport Brundtland, il affirme que la crise sociale et la crise écologique sont solidaires l'une de l'autre. Le texte rappelle aussi la gravité de la crise dans les pays en voie de développement. Au Québec, il signale la crise de la forêt, celle de l'agriculture et celle de l'eau. Au plan des principes d'action, il insiste sur la nécessité d'une approche globale, sur l'éducation en matière d'environnement, sur les rapports entre économie et écologie et sur la nécessité de mener des débats publics. En conclusion, il se livre à une brève analyse sociale du point de vue des personnes appauvries et invite à mener une action conjointe avec les autres organisations.

Le 4 octobre 2003, en la fête de saint François d'Assise, la Commission des affaires sociales de la CECC faisait paraître une lettre pastorale sur « L'impératif écologique chrétien : "Tu épargnes tout, parce que tout est à toi, Maître de la vie". » La lettre se divise en trois parties : le rappel de la crise écologique, la nécessité d'une réponse religieuse, la nécessité d'une action sur l'eau. La lettre débute par l'affirmation de la beauté et de la grandeur de la nature comme œuvre de Dieu. Elle évoque brièvement divers aspects de la crise. L'engagement écologique va de soi.

La seconde partie rappelle l'intérêt grandissant des chrétiens pour la cause écologique. « Les chrétiennes et les chrétiens puisent aux ressources bibliques et théologiques pour éclairer les enjeux de l'éco-justice. D'autres s'impliquent pour la formation de nouvelles alliances œcuméniques et interconfessionnelles. » Le texte ne fait pas de démonstration systématique sur la pensée biblique. Il cite Job, évoque l'arc-en-ciel, fait des allusions ici et là (il se réfère même à Dt 26, 9-10, ce qui est assez surprenant). Il insiste sur le partage équitable des ressources, citant à cette fin le psaume 146. Il rappelle le lien entre création et rédemption.

Après une digression sur l'eau, le droit à l'eau et les risques liés à la marchandisation de l'eau, le texte revient sur les formes de mise en œuvre de l'éco-justice. Se référant à Elizabeth A. Johnson, il distingue la réponse contemplative (la prière de contemplation), la réponse ascétique (proche de la simplicité volontaire) et la réponse prophétique (engagement sociétal). Si la démonstration, surtout pour la portée biblique, laisse à désirer, la lettre se signale par son ton très prophétique et par la diversité des sources utilisées. Il s'agit moins d'un document venu d'en haut que d'une pensée jaillissant de la base.

Plus récemment encore, en 2008, la Commission épiscopale des affaires sociales de la CECC publiait une lettre intitulée «Notre rapport à l'environnement. Le besoin d'une conversion». Le document se réfère d'abord au rapport du Groupe intergouvernemental d'experts sur l'évolution du climat (GIEC), véritable cri d'alarme sur cette question cruciale. Suit un court exposé sur la vision biblique de la création et de l'être humain, s'appuyant notamment sur Gn 2, 15: cultiver et garder. Il affirme la place centrale de l'être humain dans la nature (anthropocentrisme) et évoque les ruptures d'harmonie avec la nature et avec les autres êtres humains. Signalant des améliorations et des succès (entre autres, le Protocole de Montréal sur la couche d'ozone), il invite à rétablir les liens avec la nature, avec les autres humains et avec Dieu. Il plaide pour une restauration de l'image divine en nous. Au total, il s'agit d'un document très beau, très inspirant qui prend appui sur les derniers rapports scientifiques pour alerter la conscience chrétienne.

On peut affirmer que, depuis vingt-cinq ans, la crise écologique est à l'ordre du jour tant au Vatican que dans l'Église catholique au Québec ou au Canada. Un examen des autres Églises mènerait à des conclusions analogues. Ainsi, le 1er avril 2008, un évêque brésilien, Don Pedro Casaldáliga, a écrit une lettre très forte sur l'usage des biocarburants et l'accroissement de la faim dans le monde. Il dénonce l'oubli que fait l'Église actuelle du concile Vatican II. Se référant à Bonhoeffer, il rappelle le devoir de crier. Le document m'a été transmis via Internet, mais je pense qu'il est authentique. Les documents diffèrent entre eux. L'accent varie bien sûr selon les conditions sociales et la situation des auteurs. Les problèmes évoqués ne sont pas les mêmes et on insiste tantôt sur l'éco-justice, tantôt sur la dimension proprement écologique. Il s'agit presque toujours de textes courts qui traitent de la crise, de la vision chrétienne et de la nécessité de l'engagement. La lettre des évêques de 1981 est très concrète et s'appuie sur des textes sur l'agriculture et l'exploitation forestière publiés antérieurement par Mgr Gérard Drainville. La lettre de la CECC de 2008 s'appuie sur les travaux du GIEC. Par ailleurs, le document de 2003 de la CECC m'a paru plus faible dans son analyse des questions relatives à l'eau. L'analyse est si rapide et si globale qu'il n'y a pas de place pour des nuances et des suggestions concrètes.

La relative apathie du peuple chrétien

L'Église officielle, pourrait-on dire, a mis du temps à s'intéresser à la question écologique. Elle prend lentement conscience des défis écologiques actuels. Trop lentement à mon goût, bien sûr, mais une institution comme l'Église ne fait pas de virages brusques. Pour utiliser une métaphore biologique, c'est une institution qui avance par péristaltisme, par contraction et progrès lents. Nous référant à la symbolique de la barque, nous pensons aussi à un navire qui peut virer assez court grâce à son gouvernail et à une inversion de moteur. La réalité est plus complexe. Si l'expérience de Vatican II a correspondu à ce qu'on peut appeler un changement de cap, l'après-Concile, avec le conservatisme de Jean-Paul II, a correspondu à une période d'inertie considérable. Il est donc heureux que, malgré tout, il y ait eu une certaine vigilance à l'égard du signe des temps que constitue la crise écologique. En théologie, un signe des temps est une situation prophétique qui interpelle l'Église et l'invite à agir en un sens donné. Ainsi, pour la question féministe (si mal reçue dans l'Église), ainsi pour les défis de la justice et de la faim, pour la course aux armements, etc. La crise écologique est une crise radicale qui se rapporte au développement de l'être humain dans l'histoire. Elle est un signe que nous faisons collectivement fausse route et qu'il est urgent de modifier notre façon de prier, de penser et d'agir.

Tous les textes officiels parlent plus ou moins explicitement de conversion écologique. Une conversion c'est un retournement du cœur, un changement de cap. Une révolution implique la destruction d'un ordre ancien et la mise en place d'un ordre nouveau. Une conversion suppose un constat d'erreur et un réajustement de la vie.

Or, manifestement, cette conversion n'a eu lieu ni dans l'Église hiérarchique ni dans le peuple chrétien. Malgré de bons textes prophétiques, l'ajustement reste marginal. Probablement, dans le peuple chrétien, nous restons convaincus que les choses vont plutôt bien, que tout va continuer comme avant, qu'il y aura bien quelques ajustements cosmétiques mais que la science et la technologie nous procureront les ressources nécessaires pour éviter le pire. De toute façon, pense-t-on, les questions de la nature ne se rapportent ni à Dieu ni à l'aventure spirituelle de notre époque.

Depuis trente ans, j'ai été invité à de très nombreuses occasions à prendre la parole en Église sur l'environnement. Premier constat, il y a beaucoup moins de gens présents que si le thème abordé faisait partie du discours chrétien courant : la prière, l'éthique sexuelle, le vieillissement, l'absolution collective, etc. Cette attitude est fort compréhensible et prend appui à mon sens sur trois perceptions : l'environnement est sale, il est complexe, il relève de la politique.

L'environnement est sale : cela réfère à la pollution, à la mort, à la détérioration, à ce qui sent mauvais et constitue un risque pour la santé. La lutte écologique porte presque toujours sur la pollution, avec des images terrifiantes : bébés phoques, oiseaux couverts de pétrole, plages souillées, décharges à ciel ouvert, fumées d'usines, champignons atomiques, etc. Depuis trente ans, la littérature écologiste nous enferme dans l'horreur et la violence au point que le premier sentiment que nous éprouvons est un sentiment de répulsion. Cela ne fait pas penser à Dieu, à la paix intérieure, à la joie et à la consolation.

Deuxièmement, l'environnement est complexe. Pour trouver la solution adéquate, il faut comprendre comment fonctionne le système écologique et déterminer quelle action il convient d'entreprendre pour améliorer durablement la situation. Par exemple, à mon avis, l'élimination des moustiques par l'épandage d'insecticides même biologiques (b.t.) est une mauvaise solution. L'intention est bonne (se protéger du virus du Nil), mais la solution est plus complexe. En détruisant massivement les larves des insectes, nous perturbons la chaîne alimentaire et affaiblissons le réseau vital dont nous faisons partie. La formule bien connue de René Dubos s'applique parfaitement ici : penser globalement, agir localement. On rend un mauvais service aux chevreuils en éliminant les loups. On nuit aux écureuils (qui sont des rongeurs) en les nourrissant de noix tout au long de l'hiver. Parfois, des gestes simples ont un effet direct et bénéfique : utiliser moins son auto, rouler moins vite, manger plus de légumes et moins de viande. Mais souvent les réponses adéquates demandent une analyse relativement complexe. Ainsi, les pluies acides sur le Bouclier canadien sont en partie le résultat des luttes écologiques menées contre la pollution industrielle dans le sud des États-Unis. La pollution a été déplacée mais n'a pas été supprimée. Elle s'est complexifiée.

La troisième raison est que l'environnement relève de la politique. Or la politique fait peur parce qu'elle est complexe, qu'elle suppose des conflits. On connaît la phrase de Mao : « La guerre est une politique avec effusion de sang, la politique est une guerre sans effusion de sang. » Or l'essence du christianisme c'est l'amour, l'amour inconditionnel de l'autre, des autres, y compris de nos ennemis. Qui dit politique dit luttes, affrontements, tensions, pouvoir, recours à la force de la loi et à la raison d'État. De plus, de nos jours, la politique a des relents de conflits d'intérêts, de scandales, de jeux de coulisses. Les médias, qui sont le 4ᵉ pouvoir (le pouvoir exécutif : le gouvernement ; le pouvoir législatif : le pouvoir de faire des lois; le pouvoir judiciaire: les tribunaux), sapent de diverses manières l'appareil politique et lui enlèvent de la crédibilité.

Sans formation et sans engagement en politique, le peuple chrétien aura toujours de la difficulté à allier lutte écologique et conscience chrétienne. On a tendance à s'en tenir à la sphère du domestique et du privé: le bon chrétien doit vivre plus modestement, recycler les matières résiduelles et avoir une bonne pensée pour la Terre. Aller plus loin ce serait tenter le diable.

Chapitre 3

LA NÉCESSAIRE CONVERSION

AYANT MONTRÉ, d'une part, la gravité de la crise éco-logique et, d'autre part, l'intérêt plutôt marginal que l'Église lui accorde, nous voyons qu'une conversion est nécessaire. Au sens restrictif du mot, on ne se convertit qu'à Dieu. Je prends le mot dans son sens usuel de chan-gement radical, de retournement, de déplacement de l'axe d'une vie. En ce sens global, se convertir c'est com-prendre et aborder autrement une question. Ainsi de quelqu'un qui, à la suite d'une maladie ou d'une prise de conscience profonde, change radicalement son style de vie, cesse de fumer, diminue sa consommation d'alcool, suit un régime sévère. Au bout d'un certain temps, nous constatons que la personne ne pense plus sa vie de la même façon, que sa relation à son corps a changé. Elle vous dira qu'elle n'a plus la même attitude face à la vie. Parfois, la conversion n'est qu'apparente. La personne a adhéré à un groupe qui a grandement influé sur elle et lui a fait faire des progrès rapides, parfois spectaculaires. Mais une fois le but atteint, la personne retombe dans ses vieilles habitudes et sa situation devient pire qu'avant. Mais quand il y a une véritable conversion, le retour en arrière est impossible.

Dans la conduite de la vie, on peut distinguer trois niveaux d'intégration de nos actions : la conduite, l'attitude, la valeur. La conduite, c'est l'action concrète. L'attitude c'est la propension à faire une chose. La valeur, c'est la représentation symbolique, son importance, sa richesse de signification. L'exemple le plus simple, c'est la façon de conduire sa voiture. Il est des conducteurs pour qui l'observance des règlements de la circulation n'a aucune importance. Ils conduisent de manière irresponsable. Inévitablement, les policiers les attrapent et, après quelques contraventions, parfois même après quelques accidents, ils arrivent à respecter le code routier. Leurs actions sont conformes à la loi ; mais leur attitude de base n'a pas changé. Alors on les voit aux aguets, surveillant attentivement pour être sûrs qu'il n'y a pas de policiers dans les environs. Au bout d'un certain temps, leur attitude change. Ils prennent leur mal en patience et cessent de forcer interminablement le trafic pour des gains insignifiants. Ils trouvent les règles toujours trop sévères et les autres chauffeurs toujours aussi stupides (« tasse-toi donc, grand-père ! »), mais ils prennent leur mal en patience. À mesure qu'ils acquièrent de l'expérience, leur façon de voir change. Ils ont davantage conscience des aléas de la circulation, des défaillances techniques des voitures. Au lieu d'affirmer leur droit à outrance, ils apprennent la conduite préventive. Non seulement ils n'enfreignent plus la loi et ne cherchent plus à le faire (attitude), mais la conduite prudente est devenue pour eux une chose essentielle. On ne risque pas la vie d'autrui pour gagner des secondes. La conduite prudente et responsable est devenue une valeur.

L'exemple est simpliste, bien sûr. Mais il décrit les trois niveaux d'intégration de la conduite morale des individus. Il est des gens qui ne dépassent jamais le niveau de l'interdiction et de la possible punition. Il leur faut une loi et des sanctions. D'ailleurs, en environnement, beaucoup de militants en restent à ce stade et ne pensent qu'aux règlements, aux interdictions et aux sanctions. D'autres personnes changent leur attitude. Ainsi, bon nombre de machos ont fini par apprendre à se conduire à peu près correctement avec les femmes. D'autres arrivent à une véritable maturité morale et parviennent à transformer leurs valeurs.

À l'égard de l'environnement, j'aurais tendance à penser que, en tant qu'institution qui favorise l'émulation morale, l'Église encourage les conduites et les actions favorables à l'environnement. Mais je ne suis pas sûr que les attitudes aient beaucoup changé, ni même les valeurs. Or l'Église ne peut pas assumer véritablement sa responsabilité face au défi écologique si elle n'opère pas une conversion de ce type. Elle ne peut le faire si elle n'effectue qu'un changement cosmétique, si elle se contente d'appliquer de la peinture verte. Je dis conversion au sens d'une reprise en profondeur de l'héritage pour l'actualiser ici et maintenant dans la nouvelle compréhension de soi que nous donnent les sciences d'aujourd'hui, notamment l'anthropologie et la crise de l'environnement.

En 1964, au moment du concile Vatican II, Fernand Dumont parlait déjà de l'urgence d'une conversion de la pensée chrétienne. Il n'en parlait pas à propos de la crise écologique, que d'ailleurs Dumont ne percevait pas encore, mais à propos de l'entrée dans la modernité.

> Pour tout dire, la crise de la société religieuse, telle que l'histoire nous en impose la conscience, se ramène à un trouble de plus en plus grave de *digestion historique*. Assimilation des changements sociaux et politiques, controverse avec les idéologies dominantes : dans chaque cas, la

rencontre est obstruée par des mécanismes de défense que nous avons confondus avec cette orthodoxie de plus en plus étroite qui nous a servi de *conscience de soi*. Les puissances d'assimilation propres à toute communauté vivante ont été plus ou moins étouffées par des structures érigées en citadelles. (Dumont, 1964, p. 23-24)

Dumont fait allusion ici aux questions des 19e et 20e siècles qui sont liées au libéralisme, à la question sociale, à l'autonomie de la pensée philosophique et éthique, à l'éclosion et l'esprit scientifique. Il parle de mécanismes de défense qui ont bloqué la perception des graves problèmes qui surgissaient. À mon sens, l'Église a encore le même réflexe, plus de quarante ans après le concile Vatican II. Jean XXIII avait parlé d'ouvrir les fenêtres. Dumont suggère pour le contexte des années 1960 d'abandonner une perspective centrée sur soi et sur le pouvoir au profit d'une attitude d'accueil et de recherche ouverte à l'expérience. Sa pensée ultérieure ira dans le sens de la culture, d'une culture première et d'une culture seconde ou cultivée, dans le sens si riche qu'il a donné à cette façon que nous avons d'être au monde.

Pour prendre au sérieux la crise écologique, il ne faut effectuer rien de moins qu'une conversion, c'est-à-dire un revirement important, sinon radical. Loin de moi l'idée d'insinuer que l'Église d'hier s'est trompée et que nous avons maintenant la vérité. Le processus est très complexe. L'Église d'hier a réagi à une situation qui était la sienne dans le contexte de ses faiblesses et de ses stratégies historiques. Il faut cesser de se représenter l'Église comme absolument pure et sainte flottant au-dessus des temps sans se mouiller. Ce n'est pas le contexte de l'incarnation. L'Église doit s'immerger dans le temps avec la conséquence inévitable de faire des choix parfois bons, parfois médiocres, d'atteindre la cible ou de la rater. D'où une succession jamais terminée de succès, d'échecs et de demi-réussites. Devant la crise écologique, l'Église est aussi à la barre des accusés. Elle l'est à cause de la manière dont elle interprète le commandement biblique : «Remplissez la terre et dominez-la» et de la traduction historique qui lui en a été donnée. Elle l'est parce que la pensée chrétienne a été le berceau du rationalisme, même si ce rationalisme prétend s'être développé contre elle. Elle l'est à cause de sa quête incessante de justice qui la pousse à l'exploitation incessante des ressources en vue de la protection des plus faibles. Or il n'y a pas d'idées plus nobles que de sortir de la fatalité de la nature, de libérer la raison et d'accomplir la justice. Ceux et celles qui ont la condamnation facile feraient mieux d'y regarder à deux fois, car nous sommes devant un défi d'une rare complexité.

De quelle conversion parlons-nous? À mon sens, elle est triple.

1) Il faut d'abord abandonner l'idée admise implicitement par la théologie vulgarisée et par le courant techniciste suivant laquelle l'être humain est le maître absolu de l'univers et qu'il peut tout exploiter à sa guise. C'est là une idée perverse, féconde à court terme mais néfaste à long terme. Il est donc impératif de réinterpréter l'invitation biblique à dominer le monde. Nous y reviendrons au chapitre suivant. Une certaine mise à distance du milieu naturel correspond à ce que Jacques Ruffié appelle le passage de la biologie à la culture. Il s'agit là d'un moment épistémologique fondateur. Dans son fameux essai sur l'éthique de la terre, Aldo Leopold note que l'erreur humaine consiste à ne voir dans la nature qu'une source

de profits économiques, qu'une simple réserve de ressources mises à notre disposition. Si une telle attitude semble féconde et utile à court terme, elle est absolument néfaste à long terme. Le succès se retourne contre son auteur. À long terme, l'être humain ne peut pas quitter le milieu naturel.

2) Il faut aussi répudier l'idée que la technique est une bonne fée qui nous permettra toujours de fuir en avant sans que nous subissions aucun dommage. Toute technique comporte des effets pervers qui souvent demeurent d'abord inaperçus et qui se manifestent dans toute leur ampleur beaucoup plus tard. Nous savons, par exemple, que certaines pollutions atmosphériques ne sont mesurables que vingt ou quarante ans après leur émission. Cela fait que nous mesurons maintenant la situation des années 1970 ou 1990 et si nous continuons à polluer sans vergogne, peut-être atteindrons-nous le seuil de non-retour.

Pour prendre un autre exemple, assez trivial, la mode de l'Internet et du cellulaire fait que chacun de nous est accessible à toute heure du jour et de la nuit, où qu'il soit dans le monde. N'est-ce pas le rêve de chacun d'être branché directement à tout l'univers ? Mais quel est l'effet de stress de tout cela ? L'incapacité pour l'individu d'être seul, inatteignable, de choisir le lieu et le moment où il répond.

Dans le domaine médical, nous savons à quel point la technologie instrumentalise de plus en plus le corps humain. Le corps est devenu comme une automobile dont on change les pièces à volonté : le cœur, les reins, le foie, les yeux, les poumons. Tant qu'on en reste à la lutte contre la mort, je puis comprendre, bien que se pose toujours la question énorme du trafic d'organes. «Dites-moi, docteur, d'où vient ce rein? – Mais, Madame, cela ne vous concerne en rien. Je vous apporte la vie, la survie. Que voulez-vous de plus?» Et l'on se prend à penser que la survie à tout prix n'a pas de sens et qu'il est des morts, y compris la nôtre, qui valent mieux que des affirmations mensongères.

L'instrumentalisation totale du corps est probablement la pire dérive. Dans *Pretty Woman*, on ne voit pas les jambes de Julia Roberts. Elles ont été remplacées par les jambes d'une autre qui étaient plus conformes aux canons de la beauté du moment. Déjà aujourd'hui, on vous construit un corps de rêve en vous refaisant le visage, les seins, les biceps, le pénis. Demain, on jouera dans votre code génétique pour modifier vos yeux, votre cœur, votre cerveau. Big Brother rôde sans cesse.

L'avènement du génie génétique accroît encore plus les possibilités de dérive. On peut comparer les gènes aux lettres d'un alphabet de telle sorte qu'on peut reconstituer des mots et des phrases en changeant l'ordre des lettres. Une espèce de scrabble. Une autre comparaison: le jeu de Lego. Les gènes sont des briques interchangeables et une fois qu'on a décodé le génome d'une espèce, on peut remplacer les briques d'un système par d'autres. Les gènes d'une plante ou d'un animal peuvent être remplacés indifféremment par ceux d'une autre plante ou d'un autre animal. Nous sommes non seulement devant un corps en pièces détachées, mais aussi devant une espèce humaine ou animale ou végétale modifiable à volonté. Dans les nouvelles philosophies, particulièrement dans le domaine de l'éthique, il n'y a plus ce que l'on appelait la nature humaine. L'éthique n'est plus substantive. Elle est discursive. L'espèce humaine apparaît de moins en moins comme une espèce déterminée dont le mode d'adaptation est la culture. Elle devient une espèce biologiquement remodelable selon les progrès de la technique et les ambitions des programmeurs. Mais, pour utiliser un langage théologique, il n'y a pas de modèle ou d'image de référence. Dans le discours chrétien, on dit que l'être humain a été créé à l'image de Dieu. Vers quelle image tendra le génie génétique?

3) Il faut enfin sortir d'une représentation de la vie confortable et luxueuse où toutes les fantaisies sont possibles. Quand le grand roi Louis XIV voulait écouter de la musique dans son lit, il ne fallait rien de moins qu'un orchestre dans sa chambre. Aujourd'hui, nous avons un orchestre symphonique de 80 musiciens dans notre salon ou notre auto. Bravo. Mais il y a des limites. Tous les luxes sont impossibles s'ils se démocratisent à l'infini. Impossible d'avoir un milieu naturel vivant où il n'y aurait ni maringouins, ni pissenlits, ni corneilles. Impossible que tout le monde prenne des vacances dans les Iles, aux Seychelles, au Tibet. Impossible de penser un monde où les autos seront toujours plus nombreuses, plus grosses, plus puissantes. Au moment où j'écris ces lignes, une nouvelle venue des États-Unis indique que l'essence pourrait se vendre 7 dollars US le gallon (US) et prédit en conséquence la disparition de dix millions de voitures aux États-Unis d'ici deux ans. À mon sens, depuis l'époque de Henry Ford, c'est bien la première fois qu'on parlerait de recul de l'auto! Mais n'est-ce pas magnifique? On réapprendra la marche et les transports en commun. Il faut se rappeler qu'en 1992 à Rio, le président George Bush (père) avait affirmé que le mode de vie des Américains n'était pas négociable. Le problème est

que ce mode de vie n'est ni viable ni exportable malgré l'incroyable machine publicitaire qui vante les mérites de ce mode de vie partout sur la planète.

Bref, nous sommes dans une impasse. Il est impossible que le système naturel soit uniquement une banque de ressources à notre service. Notre maîtrise du monde est devenue abusive. Il faut maîtriser notre maîtrise et donc redéfinir un «contrat naturel», conclure une nouvelle alliance. L'option technologique est par elle-même insuffisante et l'incessante fuite en avant ne mène nulle part. Il en va de même pour notre boulimie de consommation.

Fort bien, direz-vous. Cette critique de l'ordre établi circule dans l'Église depuis toujours. L'Église a toujours prêché l'humilité et dénoncé l'orgueil, loué la pauvreté et la simple vie, fait de multiples mises en garde contre les dangers du progrès technologique, surtout dans le domaine biologique. Pourquoi faudrait-il une conversion? Il y a une quarantaine d'années, l'historien des sciences Lynn White a écrit que la crise écologique prenait sa source dans la tradition chrétienne, et en particulier dans le fameux texte de la Genèse: «Remplissez la terre et dominez-la.» J'analyserai ce texte en profondeur dans le prochain chapitre. Indépendamment du texte lui-même, il est évident que la conception vulgarisée du christianisme est celle d'un anthropocentrisme très affirmé. Nous avons tendance à penser que l'être humain est non pas d'abord en relation avec le monde naturel, mais plutôt en opposition à ce dernier, qu'il a pour rôle de le vaincre et de le transformer. Certes, dans la vision d'ensemble du christianisme, l'être humain n'est pas un être centré sur lui-même mais tourné vers Dieu. Son accomplissement est en Dieu. Ainsi le *Catéchisme de Québec* indique à la question 4: Pourquoi Dieu vous a-t-il créé?

Dieu m'a créé pour le connaître, l'aimer et le servir en ce monde, et pour être heureux avec lui dans le ciel pendant l'éternité.

Dans la réalité toutefois, la relation au monde est facilement perçue comme instrumentale. Le concile Vatican II a sur ce point des paroles très fortes, en particulier dans la constitution pastorale sur «l'Église dans le monde de ce temps» (*Gaudium et Spes*). Une constitution pastorale n'est pas un exposé de la doctrine de l'Église, mais un texte définissant la position de l'Église sur un sujet précis à un moment donné. Adopté en 1965, *Gaudium et Spes* insiste sur les joies et les espoirs du monde de 1965. Cet espoir c'est celui de la justice et de la paix, de la lutte contre la misère et l'inégalité, pour la libération des peuples, pour le développement. À cette époque, l'Église n'avait pas conscience de l'existence d'une crise écologique. Elle a en quelque sorte fait siennes les préoccupations productivistes des militants pour la justice. D'où des expressions très fortes qui témoignent d'un anthropocentrisme très efficace. Qu'on en juge par les trois citations suivantes :

> Croyants et incroyants sont généralement d'accord sur ce point : tout sur terre doit être ordonné à l'homme comme à son centre et à son sommet. (12, 1)
>
> Cette ressemblance (de l'homme à Dieu) montre bien que l'homme, seule créature sur terre que Dieu a voulue pour elle-même, ne peut pleinement se trouver que par le don désintéressé de lui-même. (24, 3)
>
> Loin d'opposer les conquêtes du génie et du courage de l'homme à la puissance de Dieu et de considérer la créature raisonnable comme une sorte de rivale du Créateur, les chrétiens sont au contraire persuadés que les victoires du genre humain sont un signe de la grandeur divine et une

conséquence de son dessein ineffable. [...] On voit par là que le message chrétien ne détourne pas les hommes de la construction du monde et ne les incite pas à se désintéresser du sort de leurs semblables : il leur en fait au contraire un devoir plus pressant. (34, 3)

Il est difficile d'être plus affirmatif pour ne pas dire triomphant. Tout doit-il être ordonné à l'être humain comme à son centre et son sommet ? Qui peut dire que l'être humain est la seule créature sur terre voulue pour elle-même par Dieu ? Qui peut chanter d'une manière si totale le bienfait de la construction du monde ? L'intention des auteurs est généreuse. La volonté de justice correspond à une option de gauche, pourrait-on dire. Mais c'est une option sans enracinement écologique. L'être humain ici n'est pas perçu comme un membre d'une communauté biotique, un membre à part entière. Il n'est pas considéré comme solidaire des autres êtres vivants. Dans la catéchèse, on insiste beaucoup sur le rôle de l'être humain comme co-créateur avec Dieu.

Ce ne sont pas là des hérésies. Les propos qui ont été formulés sont inappropriés dans le contexte d'aujourd'hui. Dans son incessante relecture de l'Écriture, l'Église doit trouver des pistes nouvelles d'interprétation et d'action en réponse à l'appel angoissant qui sourd de partout. Elle doit entendre le cri de la terre et des pauvres.

Dans les chapitres suivants, je définirai un certain nombre de tâches à accomplir dans une pastorale axée sur la préservation de l'environnement.

Il s'agit d'abord d'élaborer une nouvelle image de l'être humain et du monde qui contribue à remédier à la crise actuelle. C'est une tâche considérable et urgente (chapitre 4).

Il s'agit ensuite d'inscrire l'environnement dans la prière liturgique (chapitre 5).

Il s'agit ensuite de prôner la simplicité de vie dans une perspective de solidarité et d'équité à l'égard des démunis de la Terre (chapitre 6).

Il s'agit enfin d'harmoniser la politique et la gestion interne de l'Église en tant qu'institution (chapitre 7).

Les limites du présent essai ne me permettent pas de traiter de sujets tels que l'éducation en matière d'environnement, l'éthique de l'environnement, l'éthique de la science et de la technologie. Il faudrait pour cela un livre complet.

En guise de complément au présent chapitre, j'ajoute une courte note sur l'anthropocentrisme. Cette note sert aussi d'introduction au chapitre suivant.

Note sur l'anthropocentrisme

Ce qu'en environnement on appelle l'anthropocentrisme ou l'approche anthropocentrique se définit comme le fait d'aborder l'environnement du point de vue de l'humanité. L'être humain (en grec : *anthropos*) est placé au centre du monde et c'est en fonction de lui que le reste est envisagé.

En astronomie, avant Galilée, on affirmait que la Terre était située au centre de l'univers. Le Soleil et les étoiles semblaient tourner autour de la Terre, comme si celle-ci était le centre. Dans le langage courant, ne dit-on pas que le Soleil se lève et se couche ? Galilée a établi que la Terre tournait sur elle-même et tournait autour du Soleil. Puis, on a découvert l'immensité de l'univers, les limites de notre galaxie. Enfin, on a appris que des milliards de galaxies tournoyaient dans un univers dont on ne sait s'il a un centre ni quelles sont ses limites. La Terre est une petite planète tournant autour d'une étoile moyenne dans une galaxie ordinaire (La Voie lactée).

En environnement, il se passe un peu la même chose. L'être humain cesse d'être au centre et se voit maintenant comme une forme de vie parmi d'autres. Dans *The Land Ethic*, Aldo Leopold dit qu'il faut cesser de n'avoir sur l'environnement qu'un regard économique comme si tout n'était pour nous que ressources. Au lieu de ne voir les choses qu'à partir de notre intérêt, pouvons-nous prendre le point de vue de l'animal, de la plante, de la source, de la montagne, de la pierre (Leopold, 1966, p. 238-264)? Peut-être vous souvenez-vous du film *How the West Was Won*. Un Amérindien a dit que le titre devrait être *How the West Was Lost*. Tout dépend du point de vue de l'observateur. C'est ainsi que, depuis plus de trente ans, on fait le procès de l'anthropocentrisme, qu'on prône des approches centrées sur autre chose que l'être humain. On évoque en général une approche centrée sur la vie, une approche biocentrée. D'autres vont plus loin et favorisent une approche cosmocentrée, centrée sur l'univers.

En 1973, le célèbre philosophe Arn Naess a suggéré de distinguer deux tendances en environnement : l'écologie molle ou superficielle (en anglais, *swallow*) et l'écologie radicale ou profonde (en anglais, *deep*). C'est assez tendancieux : qui refuserait d'être profond et qui accepterait d'être superficiel ?

À partir de cette opposition fondamentale (anthropocentrisme et biocentrisme, *swallow* et *deep*), toute une série d'autres notions vont venir se greffer. Le milieu écologique n'a-t-il qu'une valeur instrumentale ? Il serait injurieux de l'affirmer. Il faut donc lui reconnaître une valeur intrinsèque. Qui dit valeur intrinsèque dit aussi droit. D'où le débat sur le droit des animaux, sur le droit de la nature, opposables l'un et l'autre aux droits de l'être humain. Il y a eu sur ce point d'interminables débats. D'où le risque aussi de dérives antihumanistes, comme l'a montré récemment le cas de l'opposant à la chasse aux phoques qui s'est réjoui de la mort de trois chasseurs madelinots.

Il est possible de distinguer au moins quatre types d'approches environnementales :

1) un anthropocentrisme pur et dur qui considère le milieu écologique comme un moyen dont l'être humain peut se servir à sa guise. Cette approche est techniciste et utilitariste. Elle est souvent prônée par les chrétiens ;

2) une approche anthropologique modérée qui reconnaît la dignité transcendante de l'être humain et aussi la beauté, l'équilibre et la légitimité du milieu écologique. Le monde est un jardin qu'il faut cultiver en modelant son action sur celle de Dieu. C'est la thèse de l'intendance confiée par Dieu, la thèse du *stewardship* ;

3) une approche biocentrique modérée qui part de la vie, reconnaît des droits à la nature et refuse de séparer l'être humain de son milieu ;

4) une approche biocentrique radicale souvent très anti-humanité qui souhaite plus ou moins clairement la disparition de l'espèce humaine et qui considère un peu l'être humain comme une erreur de la nature.

Peut-on être *deep* (au sens de l'approche biocentrique modérée) et chrétien ? Selon moi, oui. Mais cela exige une conversion de la pensée.

Ce qui nous piège dans ce débat, c'est la position de l'être humain en tant que locuteur. Même en adoptant une position biocentrique, l'être humain ne peut s'empêcher de penser le monde dans lequel il s'inscrit. Il ne peut pas s'abstraire entièrement de l'image du monde qu'il se construit. Ni la plante ni l'animal ne se façonnent une image du monde. Immergés dans la nature, ils s'y adaptent et se transforment vraisemblablement à la manière décrite par Darwin, par essai et erreur, le plus adapté sortant victorieux dans un processus de sélection naturelle.

Chez l'être humain, le passage à la culture implique un plus haut niveau d'adaptation au milieu. Ce n'est plus le corps qui s'adapte, mais c'est la culture qui change (la vision, les mots, la pensée, la science, les outils, etc.) et qui permet la transformation. À ce niveau, l'anthropocentrisme est indépassable. L'observateur que nous sommes surplombe le monde. Mais en faire un prétexte pour affirmer et justifier une attitude prédatrice, c'est autre chose. C'est pourquoi il est nécessaire de nous reconnaître d'abord et avant tout comme des partenaires de la création, comme les parties d'un organisme qui est plus vieux que nous et qui nous déborde de partout.

Chapitre 4

L'IMAGE DU MONDE ET DE DIEU

Dans le présent chapitre, j'aborderai la question cruciale de la représentation du monde et de Dieu. Est-ce que Dieu nous dit quelque chose sur notre rapport à la Terre ? On sait que certains passages des Évangiles évoquent la fin du monde avec des images de terreur et de frayeur : « Le ciel s'obscurcira, la lune ne donnera plus sa lumière, les étoiles tomberont du ciel et les puissances des cieux seront ébranlées » (Mt 24, 29). Dieu nous donne-t-il des informations sur l'astrophysique ?

On est ici en présence d'un discours « eschatologique », c'est-à-dire un discours relatif à la fin des temps. Jour de jugement et de colère pour les uns (*dies iræ, dies illa*), jour de délivrance pour les autres. Au temps de l'Avent, nous prions pour que les temps s'achèvent et qu'advienne la fin. La Terre n'est-elle donc qu'une vallée de larmes, un pur décor appelé à disparaître ? Ou est-elle encore le lieu où nous avons à mettre notre courage et notre constance à l'épreuve ? Travailler à la sueur de son front suivant une conception ascétique de l'existence ? Pourtant viennent à l'esprit d'autres images, par exemple ce texte de l'apôtre Paul qui dit que « la création gémit jusqu'à ce jour en travail d'enfantement » et qu'elle attend d'être « libérée de la servitude pour entrer dans la liberté des enfants de

Dieu » (Rm 8, 21-22). Il y aurait donc ici communauté de destin, partage d'une même espérance en la création et en l'être humain ? Et que dire de l'Apocalypse qui annonce un ciel nouveau et une terre nouvelle (Ap 21, 1) ?

La représentation chrétienne de la création (ou si l'on préfère du cosmos, de la nature organisée), de l'être humain et de Dieu est d'une grande complexité. En fait, les images de Dieu, de l'être humain et de la nature (ou du milieu écologique) sont liées entre elles. La tradition chrétienne insiste pour dire que l'être humain est créé à l'image de Dieu. Mais de quel Dieu parle-t-on ? Celui de la force et du pouvoir, de la terreur, ou celui du Très-Bas et du Très-Faible ? Et de quel être humain parlons-nous, à quel niveau de culture et d'organisation sociale se trouve-t-il ? Et de quelle nature parle-t-on ? J'aime François d'Assise, tout proche de la mort à 45 ans, presque aveugle, parlant de frère Soleil mais aussi de notre sœur la mort.

L'examen de cette question déborde le cadre du présent essai. D'ailleurs, l'élaboration d'une image du monde, de l'être humain et de Dieu en situation de crise écologique mondiale exigera le travail de toute une génération.

Pour illustrer en quel sens nous pourrions aller, je m'arrêterai sur le fameux récit de la création du livre de la Genèse, récit qui est l'objet d'énormes controverses et qu'il est indispensable de considérer si on veut parler de l'héritage chrétien. Il existe de ce texte d'innombrables commentaires. En plus des notes de diverses traductions de la Bible (notamment Bible de Jérusalem, traduction œcuménique de la Bible et la Nouvelle Traduction), je m'inspirerai surtout du livre de Paul Beauchamp (1969) et de celui de Walter Vogels (1992).

Le récit

[1]Au commencement, Dieu créa le ciel et la terre. [2]Or la terre était vague et vide, les ténèbres couvraient l'abîme, l'esprit de Dieu planait sur les eaux. [3]Dieu dit: «Que la lumière soit» et la lumière fut. [4]Dieu vit que la lumière était bonne, et Dieu sépara la lumière et les ténèbres. [5] Dieu appela la lumière «jour» et les ténèbres «nuit». Il y eut un soir et il y eut un matin: premier jour.

[6]Dieu dit: «Qu'il y ait un firmament au milieu des eaux et qu'il sépare les eaux d'avec les eaux» et il en fut ainsi. [7]Dieu fit le firmament, qui sépara les eaux qui sont sous le firmament d'avec les eaux qui sont au-dessus du firmament, [8]et Dieu appela le firmament «ciel». Il y eut un soir et il y eut un matin: deuxième jour.

[9]Dieu dit: «Que les eaux qui sont sous le ciel s'amassent en une seule masse et qu'apparaisse le continent» et il en fut ainsi. [10]Dieu appela le continent «terre» et la masse des eaux «mers», et Dieu vit que cela était bon.

[11]Dieu dit: «Que la terre verdisse de verdure: des herbes portant semence et des arbres fruitiers donnant sur la terre des fruits contenant leur semence» et il en fut ainsi. [12]La terre produisit de la verdure: des herbes portant semence selon leur espèce, des arbres donnant selon leur espèce des fruits contenant leur semence, et Dieu vit que cela était bon. [13]Il y eut un soir et il y eut un matin: troisième jour.

[14]Dieu dit: «Qu'il y ait des luminaires au firmament du ciel pour séparer le jour et la nuit: qu'ils servent de signes, tant pour les fêtes que pour les jours et les années: [15]qu'ils soient des luminaires au firmament du ciel pour éclairer la terre» et il en fut ainsi. [16]Dieu fit les deux luminaires majeurs: le grand luminaire comme puissance du jour et le petit luminaire comme puissance de la nuit, et les étoiles. [17]Dieu les plaça au firmament du ciel pour éclairer la terre, [18]pour

commander au jour et à la nuit, pour séparer la lumière et les ténèbres, et Dieu vit que cela était bon. [19]Il y eut un soir et il y eut un matin : quatrième jour.

[20]Dieu Dit : « Que les eaux grouillent d'un grouillement d'êtres vivants et que des oiseaux volent au-dessus de la terre contre le firmament du ciel » et il en fut ainsi. [21]Dieu créa les grands serpents de la mer et tous les êtres vivants qui glissent et qui grouillent dans les eaux selon leur espèce, et toute la gent ailée selon son espèce, et Dieu vit que cela était bon. [22]Dieu les bénit et dit : « Soyez féconds, multipliez, emplissez l'eau des mers, et que les oiseaux multiplient sur la terre. » [23]Il y eut un soir et il y eut un matin : cinquième jour.

[24]Dieu dit : « Que la terre produise des êtres vivants selon leur espèce : bestiaux, bestioles, bêtes sauvages selon leur espèce » et il en fut ainsi. [25]Dieu fit les bêtes sauvages selon leur espèce, les bestiaux selon leur espèce et toutes les bestioles du sol selon leur espèce, et Dieu vit que cela était bon.

[26]Dieu dit : « Faisons l'homme à notre image, comme notre ressemblance, et qu'ils dominent sur les poissons de la mer, les oiseaux du ciel, les bestiaux, toutes les bêtes sauvages et toutes les bestioles qui rampent sur la terre. »

[27]Dieu créa l'homme à son image, à l'image de Dieu il le créa, homme et femme il les créa.

[28]Dieu les bénit et leur dit : « Soyez féconds, multipliez, emplissez la terre et soumettez-la ; dominez sur les poissons de la mer, les oiseaux du ciel et tous les animaux qui rampent sur la terre. » [29]Dieu dit : « Je vous donne toutes les herbes portant semence, qui sont sur toute la surface de la terre, et tous les arbres qui ont des fruits portant semence : ce sera votre nourriture. [30]À toutes les bêtes sauvages, à tous les oiseaux du ciel, à tout ce qui rampe sur la terre et qui

est animé de vie, je donne pour nourriture toute la verdure des plantes» et il en fut ainsi. [31]Dieu vit tout ce qu'il avait fait : cela était très bon. Il y eut un soir et il y eut un matin : sixième jour.

2. [1]Ainsi furent achevés le ciel et la terre, avec toute leur armée. [2]Dieu conclut au septième jour l'ouvrage qu'il avait fait et, au septième jour, il chôma, après tout l'ouvrage qu'il avait fait. [3]Dieu bénit le septième jour et le sanctifia, car il avait chômé après tout son ouvrage de création.
[4]Telle fut la genèse du ciel et de la terre, quand ils furent créés.

(Gn 1,1-2,4a : Bible de Jérusalem)

Avant d'analyser le texte, il est bon d'en percevoir d'abord le rythme et la beauté. Je ne parle pas de la forme originelle, car le texte n'est pas présenté en hébreu. Toute traduction est déficiente. Et pourtant, il nous reste quelque chose du rythme et de la beauté des répétitions qui forment comme une musique et scandent comme un refrain : «il y eut un soir et il y eut un matin»; «et Dieu vit que cela était bon;» «selon leur espèce». C'est un poème de très grande venue.

Le contexte du récit

Un mythe

Il faut dire d'abord un mot du genre littéraire utilisé. J'ai parlé d'un poème. On pourrait dire un conte poétique. Il ne s'agit pas du tout d'un reportage ou d'un récit de type historique. C'est un texte intemporel, hors du temps. Bien sûr, pendant très longtemps on a pris ce texte au pied de la lettre comme la description historique de ce qui s'était réellement passé.

Il s'agit d'un conte charmant et merveilleux, d'une mise en récit qu'on appelle un mythe. Dans le langage courant, on oppose mythe et réalité. Le mythe serait donc faux et mensonger, il nous ferait croire à des sornettes. Mais la vérité du mythe c'est de donner à penser, de suggérer un sens. Un jour ou l'autre, enfants, nous avons appris que le père Noël n'était pas vrai. Et pourtant en décembre de chaque année, nous croisons le père Noël. Le père Noël est le symbole de la bonté des parents pour leurs enfants. Il est aussi le reflet de la bonne providence de Dieu, malgré la lourdeur du contexte commercial. De même le méchant loup que le Petit Chaperon rouge rencontre dans le grand bois est le symbole du danger que peut représenter le prédateur sexuel pour une jeune fille innocente qui s'aventure imprudemment dans la forêt de nos cités. « Bergerette, méfie-toi du loup, il t'épie, il te guette, il te suit partout. Les fillettes trop coquettes lui plaisent beaucoup. »

Bien sûr, tant que l'on n'a pas eu de données un peu fiables sur les âges géologiques de la Terre et sur la longue succession des formes de vie, on a cru que le récit de la Genèse avait un fondement historique. Très vite, certains ont saisi le caractère symbolique du récit. D'autres, au contraire, ont continué à prendre celui-ci au pied de la lettre et à vouloir le défendre coûte que coûte. Les six jours pourraient représenter six époques géologiques. Ou encore, si on s'appuie sur une référence à l'Apocalypse, chaque journée pourrait représenter mille ans. Il y a encore une trace de cela dans le cantique *Venez, divin Messie :* « Depuis plus de quatre mille ans, nous le promettaient les prophètes ». Aux États-Unis, des créationnistes très attachés à la littéralité du texte biblique veulent encore qu'on enseigne le récit biblique de la création dans les cours de science et qu'on le tienne pour plausible. C'est là, redisons-le, une méprise totale sur le genre littéraire du texte biblique. Et c'est alimenter un conflit inutile et absurde entre la science et la foi. Le plus triste dans cette affaire c'est que l'on néglige l'essentiel même du message biblique.

Il y a lieu de faire remarquer toutefois que le rapport de l'œuvre esthétique à la réalité est toujours complexe. Par exemple, le roman *Le Code Da Vinci* (et le film qu'on en a tiré) met sous forme de récit une œuvre de fiction. L'action se déroule à Paris et une personne est tuée dans l'église Saint-Sulpice. Or les touristes visitant ce temple fort impressionnant demandent où cette personne a été assassinée et s'offusquent souvent lorsqu'on leur dit que ce meurtre n'a jamais eu lieu. Dans le radio-roman *Un homme et son péché*, il arrivait que Donalda exprime sa souffrance à l'égard de l'avarice de son mari et du fait de ne manger que de la galette de sarrasin. Le lendemain, Radio-Canada recevait des dons de nourriture destinés à Donalda. Bref, nous avons tendance à prendre la fiction pour la réalité et parfois à prendre la réalité pour de la fiction.

Dire que le récit de la Genèse est un mythe ne signifie pas qu'il est mensonger, mais qu'il nous raconte des vérités essentielles sur Dieu et sur nous par le moyen d'une magnifique histoire.

L'abondance des récits de création

Le récit de la création de la Genèse n'est pas unique. C'est un genre courant dans la littérature de l'époque. Par exemple, il existe un poème de la création babylonien que l'on date du 14e siècle av. J.-C. (*Énouma élish*) et qui précède d'environ huit siècles le récit de la Genèse (Vogels, 1992, p.14). L'auteur de la Genèse reprend des poèmes antérieurs, les transforme en fonction de ses propres visées. Il réinterprète des mythes propres à son milieu pour en faire le véhicule de son message. Comme le dit si bien Walter Vogels, il s'agit d'une prophétie du passé. Le prophète n'est pas un devin de l'avenir. Il parle au nom de Dieu pour le présent. En revenant aux origines, il interprète la création comme une œuvre de bonté de la part de Dieu.

Cette utilisation de formes ou de matériaux antérieurs est très fréquente dans les arts. Ainsi, de grands musiciens comme Dvorak, Sibelius, Tchaïkovski, Claude Champagne ont incorporé des mélodies folkloriques dans leurs propres œuvres.

Les traditions littéraires du Pentateuque

Beaucoup de religions se réfèrent à des écritures, à un ou plusieurs livres saints. Ainsi le Coran pour la religion musulmane, le *Tao te ching* (de Lao Tseu) pour le taoïsme, le *Kama sutra* pour l'hindouisme et ainsi de suite. Dans la tradition chrétienne, nous nous référons à la Bible (Ancien Testament, que nous avons en commun avec la religion juive, et Nouveau Testament) qui est pour nous un livre sacré. En fait, la Bible est une collection de livres très différents les uns des autres. Une bibliothèque plutôt qu'un livre.

Depuis toujours, et contrairement à ce que pensent les fondamentalistes, la Bible a fait l'objet de lectures et d'interprétations diverses. L'Écriture n'est pas la transcription d'une parole proférée par Dieu. C'est là une conception magique de l'inspiration divine. L'Écriture est une œuvre spécifiquement humaine où l'auteur communique une expérience de Dieu (sous forme de récit, de prière, de prophétie, de parole de sagesse, etc.) dans laquelle la communauté croyante s'est reconnue. C'est pourquoi l'Écriture n'est pas un texte magique et transparent qui parle à l'âme de chaque lecteur isolé, mais un texte parfois difficile qu'il faut situer dans son contexte et partager avec la communauté de foi. C'est lorsqu'elle est proclamée et célébrée dans la communauté que l'Écriture devient Parole.

Comme tout texte d'une certaine profondeur, le texte biblique est l'objet de différents types de lecture : analogique, typologique, allégorique, spirituel. Et aussi de relectures incessantes.

Depuis deux siècles, la science de l'exégèse s'est énormément développée grâce à l'emploi de différentes méthodes d'analyse et de travail sur le texte : historico-critique, narrative, psychanalytique, sémiotique, féministe, etc. Il est donc possible d'étudier le texte sacré sous différents points de vue.

Les études approfondies menées sur le Pentateuque (les cinq premiers livres de l'Ancien Testament) ont permis de distinguer quatre traditions littéraires dans les différentes composantes et unités de ces livres : la tradition J, dite yahviste, à cause de l'utilisation du terme de Yahvé pour désigner Dieu ; la tradition E, dite élohiste, qui utilise le terme Élohim pour nommer Dieu ; la tradition P ou tradition sacerdotale ; et la tradition D, dite tradition deutéronomique. Il n'est pas toujours facile de discerner chacune des unités littéraires des livres du Pentateuque, mais certains passages sont assez facilement reconnaissables par le vocabulaire et le style employés ainsi que par la doctrine professée.

Genèse 1, 1-24a et 2, 4b-3

On trouve dans la Genèse deux récits de création : un premier récit, qu'on peut appeler la création en sept jours et un second qu'on peut appeler le jardin d'Éden. Le premier récit porte principalement sur la mise en ordre du monde, alors que le second explique surtout la présence du mal (récit de la tentation).

Les experts rattachent le premier récit de la création à la tradition P, la tradition sacerdotale. Cette tradition est proche du milieu cultuel, de la caste sacerdotale. Elle a un goût marqué pour les dates, les généalogies et pour un style d'une certaine solennité. Elle insiste grandement sur la transcendance de Dieu. On estime que la rédaction de ce récit pourrait remonter à la fin de l'exil de Babylone (597-538 av. J.-C.) ou au début de la période de restauration, mais certainement avant la période hellénistique (325 av. J.-C.). Le second récit de la création (Genèse 2, 4b-3) est rattaché à la tradition yahviste. Elle se distingue par un style simple et imagé, utilisant souvent des anthropomorphismes pour parler de Dieu. Ainsi Yahvé qui se promène dans le jardin à la brise du jour (Gn 3, 8). La tradition yahviste est plus ancienne, plus archaïque. On estime que la rédaction du second récit pourrait remonter au 9e siècle av. J.-C. Il y aurait donc un écart d'au moins trois siècles entre le second récit de la création (récit de chute) plus ancien et le premier récit (en sept jours) plus récent. Il faut donc faire attention quand on éclaire un récit par l'autre. Il ne faut pas se surprendre non plus que l'ordre de succession du texte ne corresponde pas à l'ordre chronologique de rédaction.

L'analyse du récit (Gn 1-24a)

L'auteur représente l'œuvre de création comme enclose à l'intérieur d'une semaine. Rien n'autorise à voir ici les jours comme une période géologique ou une période de mille ans. Dans la culture juive, le jour commence le soir : il y eut un soir et il y eut un matin.

Les jours

Par ailleurs, la semaine correspond à la manière habituelle de rythmer le temps. Dans l'Antiquité païenne, chaque jour est attribué à un astre du système solaire (Soleil, Lune, Mars, Mercure, Jupiter, Vénus, Saturne) qui est aussi une divinité. Soucieux d'affirmer la transcendance de Dieu, l'auteur semble ici procéder à une sécularisation radicale en se contentant de désigner les jours par des chiffres.

Dire et faire

Le verbe dire revient dix fois dans le récit. Il pourrait y avoir ici une correspondance avec le Décalogue, ou dix paroles. L'importance ici du dire de Dieu est tout à fait primordiale. Le dire de Dieu est son engagement. La parole n'a pas chez les Juifs un sens d'abord notionnel ou intellectuel. C'est le signe d'un engagement de la personne. D'ailleurs de temps en temps le texte dit aussi que Dieu fit, ce qui laisse croire qu'il y a eu fusion de deux traditions, l'une insistant sur « dire » et l'autre sur « faire ». « Dieu crée par sa Parole, Dieu crée par son action » (Vogels, 1992, p. 45). De même, le mot « créer » (en hébreu, *bara*) n'a pas le sens philosophique de faire à partir de rien, mais plutôt d'organiser, de mettre de l'ordre dans le chaos. La création est une mise en ordre. Dans les livres du Pentateuque, le désordre est tenu pour dangereux. D'où la nécessité de catégories claires et nettes.

Les travaux de Dieu

À partir d'un chaos primitif, Dieu met de l'ordre et de l'harmonie.

- le temps – le jour et la nuit   1er jour
- les eaux d'en haut, les eaux d'en bas   2e jour
  (le ciel et la mer)
- la mer et la terre sèche, avec les plantes   3e jour
- l'ordonnancement du temps   4e jour
- les animaux du ciel et de la mer   5e jour
- les animaux de la terre y compris   6e jour
  l'être humain
- le repos   7e jour.

Il y a ici une structure littéraire très complexe, le 4e jour correspondant au 1er jour, le 5e jour au 2e jour, le 6e jour au premier. Par ailleurs, il y a huit œuvres de Dieu en six jours (deux au troisième jour, deux au sixième), ce qui laisse supposer que, lors de la rédaction finale, des récits antérieurs ont été réaménagés. On remarquera également que la création de l'être humain n'occupe pas à elle seule toute une journée. L'être humain est parfaitement intégré dans l'ordre animal (Vogels, 1992, p. 41-44).

Cela était bon

Le récit insiste constamment sur la bonté de la création. Dans la mythologie grecque, la création est une chute. Pour la Bible, c'est une œuvre divine. Le texte insiste sur l'œuvre de Dieu, sur sa transcendance et sa toute-puissance. Mais une phrase revient sans cesse : Dieu vit que cela était bon. L'expression de la bonté revient six fois (chapitre 1, versets 3, 10, 12, 18, 21, 24). Le terme revient encore une septième fois : « Dieu vit tout ce qu'il avait fait : cela était très bon » (1, 31).

Bien sûr, en résumé, c'est un monde de nature pure, un monde idyllique où même les bêtes sauvages n'ont pour toute nourriture que la verdure des plantes. C'est un monde sans compétition ni prédation, ce qui est le contraire d'un monde écologique. Dans le monde biblique, la mer est un lieu de mort et de naufrage et les monstres marins sont le symbole du mal. Ici, l'auteur prend la peine de préciser que Dieu crée les serpents de mer (1, 21). L'œuvre de création est une œuvre de beauté et de bonté. C'est une œuvre de gratuité primordiale. Mathew Fox dit fort à propos : *original blessing,* bénédiction originelle, une espèce d'antidote au péché originel.

Les bénédictions

Le récit fait état de trois bénédictions données par Dieu. La première est donnée aux animaux du ciel et de la mer. C'est une bénédiction pour leur fécondité. La deuxième est donnée à l'homme et à la femme également pour leur fécondité. Les plantes, les herbes et les arbres du troisième jour ne reçoivent pas de bénédiction, car, malgré le renvoi à leur semence et à leur espèce, ils ne sont pas considérés comme vivants, car ils sont fixes et n'ont pas de sang. Dans la tradition biblique, la bénédiction est associée à la fécondité.

Il est assez étonnant que Dieu accorde une bénédiction au septième jour : « Dieu bénit le septième jour et le sanctifia ». Le temps est une catégorie abstraite. L'intention du texte est obvie. C'est la sanctification du sabbat. La trace de la tradition sacerdotale axée sur le culte est assez évidente. En Exode 20, 8-11, le sabbat est lié à l'ordre de la création. Au livre du Deutéronome (5, 12-15), l'observance du sabbat est rattachée à la sortie d'Égypte. Dans le contexte de la crise écologique où l'obsession de la productivité et de la consommation est à son sommet, il est bon de se rappeler que la bénédiction de Dieu – symbole de fécondité – est donnée au septième jour pour le repos. Les moments les plus féconds de l'existence ne sont-ils pas ceux où l'on se libère du besoin de produire, où l'on rend grâce à Dieu et où l'on se repose en lui. Primauté de l'art, de l'amour, de la gratuité sur le besoin de détruire et de consommer. Il vaut la peine de citer ici le texte de Moltmann sur le sabbat comme symbole du salut:

> Israël a légué au monde deux archétypes de la *libération:* l'*Exode* et le *Sabbat*. L'*exode* de l'esclavage vers le pays de la liberté est le symbole efficace de la liberté extérieure. Le *sabbat* est le symbole tranquille de la liberté intérieure. L'exode est l'expérience fondamentale de l'*histoire* sainte. Le sabbat est l'expérience fondamentale de la *création* divine. L'exode est l'expérience fondamentale du Dieu *agissant*. Le sabbat est l'expérience fondamentale du Dieu *existant*. Aucun exode politique, social et économique hors de l'oppression, du déracinement et de l'exploitation ne conduira réellement à la liberté d'un monde humain sans le sabbat, sans l'abandon de toutes les œuvres, sans le délassement et le repos dans la présence de Dieu. Inversement les hommes ne trouveront jamais la paix sabbatique dans la présence de Dieu s'ils ne trouvent pas leur libération de la dépendance et de l'oppression, de l'inhumanité et de l'impiété. L'exode et le sabbat sont donc inséparables. Ils se complètent nécessairement. Ils se dégradent et ne conduisent pas à la liberté, s'ils sont séparés et si un seul d'entre eux seulement est pris comme base de l'expérience de la liberté. (Moltmann, 1988, p. 365)

Le statut de l'être humain

Pour le rédacteur du texte, la création de l'être humain est à la fois en continuité et en rupture avec le reste de la création. Il arrive au 6e jour avec les autres animaux. Ce qui distingue l'être humain de l'animal c'est que l'être humain est image et ressemblance de Dieu. Pour les Juifs, Dieu ne peut pas être représenté. La religion juive est une religion sans statue ni image. Seul l'être humain est image (*selem*) et ressemblance. C'est sur le visage des êtres humains qu'on trouvera le visage de Dieu, ce que le récit de Matthieu sur le jugement dernier reprendra avec force (Mt 25, 31-46). Le mot « ressemblance » atténue ici la portée de l'image.

Créé à l'image de Dieu, l'être humain est appelé par ce dernier à dominer et à soumettre. Dominer se dit souvent à propos d'un roi, mais presque toujours avec le sens d'instaurer la justice et de faire régner la paix. Soumettre a une connotation assez dure et laisse entendre que le chaos d'origine (le tohu-bohu) n'est jamais entièrement ordonné. C'est bien là aussi notre expérience de la nature lors de catastrophes.

Il ressort assez clairement du texte que, en tant qu'il continue l'œuvre de création, l'être humain se tient du côté de Dieu. Certes, il appartient à l'ordre animal. Le texte dit d'ailleurs en 1, 27 : mâle et femelle et non homme et femme. Mais par le fait qu'il est à l'image de Dieu, il appartient aussi au monde divin. Dieu peut se reposer au septième jour, car, avec sa bénédiction, l'être humain pourra poursuivre l'œuvre divine de mise en ordre du chaos.

Comment Dieu est-il vu ?

Le récit de la création de Genèse 1, 1 - 2,4a concerne d'abord non pas l'être humain mais Dieu. Dieu a toute l'initiative et est le sujet de tous les verbes.

L'intention du récit est d'affirmer la transcendance absolue de Dieu dans un monothéisme radical. Le monothéisme est la principale contribution d'Israël à l'histoire religieuse de l'humanité. Mais le monothéisme n'allait pas de soi pour lui. Il semble bien que la religion des premiers sémites ait été une religion agraire. Le dieu principal est El, le dieu taureau qui règne sur un panthéon. Peu à peu émerge la figure de Yahvé YHWH qui devient le dieu national d'Israël. Mais les tribus d'Israël sont souvent divisées et les dieux païens, les Baals sont nombreux. Pendant une longue période, la religion d'Israël a été non pas monothéiste mais hénothéiste (voir Lemaire, 2003). Israël ne croit qu'en un Dieu, Yahvé, mais l'existence de Dieu n'empêche pas l'existence d'autres dieux. Les psaumes témoignent de cette rivalité du Dieu national avec les autres dieux.

> Car c'est un Dieu grand que Yahvé
> un Roi si grand par-dessus tous les dieux (Ps 95, 3)

> Dieu se dresse au conseil divin
> au milieu des dieux il juge (Ps 82, 1)

Israël a donc son dieu protecteur, sa divinité tutélaire. Il pratique, difficilement, une monolâtrie. Sa foi est à la rigueur un hénothéisme. Aujourd'hui encore, dans la chrétienté, chaque pays, chaque ville, chaque village a un saint patron qui est chargé de le protéger. Mais dans le paganisme ancien, chaque ville avait son dieu tutélaire et, quand une ville subissait une défaite militaire importante, c'est que son dieu ne l'avait pas protégée. Cela pouvait démontrer tout simplement que son dieu n'était pas aussi puissant que le dieu de la cité adverse. D'où la tentation d'abandonner la foi ancestrale ou de métisser les dieux. Le dieu du vainqueur est intégré dans un panthéon comprenant de multiples divinités. Nous assistons d'ailleurs actuellement à un énorme métissage des dieux et des croyances.

La destruction de Jérusalem et de son temple par Nabuchodonosor puis l'exil à Babylone (597-528 av. J.-C.) mirent à rude épreuve la foi et l'espérance juives. Normalement, Israël aurait dû cesser de croire en Yahvé et adopter la religion de son vainqueur. Il aurait pu métisser son Dieu en opérant une sorte de syncrétisme polythéiste. C'est la tendance propre au paganisme (de *paganus*, « paysan », ou dieux de la nature et des forces cosmiques) ou même au panthéisme. Or au terme d'une intense réflexion, Israël a pris la direction inverse. Si Dieu est Dieu, il ne peut y avoir qu'un Dieu. Et ce Dieu est transcendant à l'univers. Ou bien il n'y a pas de Dieu et alors le monde est Dieu, ou bien Dieu existe et alors il ne peut se confondre avec le monde. Il est au-dessus de ce monde et le crée par un effet de son amour. À mon avis, le récit affirme la transcendance absolue de Dieu.

C'est le caractère absolu de la transcendance divine qui interdit toute statue et toute image, lesquelles sont appelées des idoles. La foi juive est radicalement anti-icônique (en fait aniconique, sans image), dépourvue de tout support visuel, car celui-ci dégraderait la figure de Dieu. Seul l'être humain est à l'image de Dieu.

La foi d'Israël en Yahvé est une foi en un Dieu qui sauve et qui intervient dans son histoire. Mais le Dieu d'Israël est le Dieu de tous les humains. Les récits relatifs à Abraham montrent bien cet universalisme (« Par toi se béniront tous les clans de la terre », Gn 12, 3). En conséquence, Israël considérera qu'il a pour mission de persuader l'humanité de l'amour universel de Dieu.

Ce monothéisme radical et absolu ne dit pas toute la foi d'Israël. Le récit s'inscrit dans une controverse et la source P suraffirme la transcendance divine. Les psaumes pour leur part chanteront la nature et nourriront l'admiration éprouvée par l'être humain devant la création de Dieu. Le courant sapientiel fera la louange de la nature et conclura que Dieu « est toutes choses » (Si 43,27).

Regard anthropologique

Comme nous l'avons vu plus haut, l'image du monde et de l'être humain dans la représentation biblique est d'abord et avant tout centrée sur Dieu. Voulant expliquer la création ou plutôt l'ordre des choses, la construction d'un cosmos, l'auteur invite à concevoir un Dieu unique et transcendant qui dit et fait le monde par sa parole.

Dans cet univers, l'être humain joue un rôle de premier plan en tant qu'image de Dieu. La création, en un sens, n'est pas divine ou sacrée. La sacralité n'est pas dans les choses. Ces dernières sont sacrées en un certain sens puisqu'elles adviennent par la parole divine. Mais, d'une certaine manière, la sacralité réside principalement dans l'être humain qui, en tant qu'image, est le premier reflet de Dieu. C'est pour cela, avons-nous dit, que la tradition juive refuse toute icône, toute statue. Rien ne peut aider à représenter Dieu sinon l'être humain.

C'est dans cet esprit, je pense, que le texte biblique suggère une domination de l'être humain sur le cosmos :

«Emplissez la terre et soumettez-la» (Gn 1, 28). Nous sommes dans un monde qui comprend trois étages: la terre, l'être humain, Dieu. Le psaume 115 (113B dans la classification de Jérôme) reprend très clairement la même représentation: «Le ciel, c'est le ciel de Yahvé, la terre, il l'a donnée aux fils d'Adam» (Ps 115,16).

À quoi correspond cette vision du monde? À ce que l'on appelle communément le passage à l'agriculture. D'ailleurs, le second récit de la création, le récit de la chute (Gn 2, 4b-3), est très explicite à cet égard:

> Au temps où Yahvé Dieu fit la terre et le ciel, il n'y avait encore aucun arbuste des champs sur la terre et aucune herbe des champs n'avait encore poussé, car Yahvé Dieu n'avait pas fait pleuvoir sur la terre et il n'y avait pas d'homme pour cultiver le sol. (Gn 4b-5)

Le texte est ici d'une naïveté touchante. L'absence d'eau évoque le désert. Mais l'absence d'êtres humains a pour corollaire l'absence d'arbustes et d'herbes des champs, ce qui laisse entendre que ces plantes ne peuvent exister que s'il y a un être humain pour les cultiver. Nous ne sommes pas du tout dans la nature sauvage, la *wilderness*, mais dans un territoire aménagé. Le verset 8 parle ensuite explicitement d'un jardin en Eden, ou paradis. Le jardin n'est jamais la nature laissée à elle-même. Il est toujours un espace aménagé, un monde construit suivant une idée préexistante. Les jardins anciens sont souvent ordonnés selon les points cardinaux. Japonais, français ou anglais, ils présentent une logique interne riche de sens.

Manifestement, pour le rédacteur anonyme du récit yahviste (comme pour le rédacteur du récit sacerdotal de Gn 1, 1-2, 4a), seul l'agriculteur est un être humain. Agriculteur au sens global du terme puisque avec Caïn et Abel apparaît l'opposition toujours présente dans le monde biblique entre pasteurs et cultivateurs.

LE PASSAGE À L'AGRICULTURE

Or, au plan anthropologique, à quoi correspond cette représentation ? Tout simplement au passage à l'agriculture. L'auteur ne soupçonne pas qu'avant l'âge de l'agriculture il y a eu l'âge des cueilleurs-chasseurs. Cet âge est aussi appelé âge cynégétique.

C'est ici que l'apport des sciences, surtout la paléontologie et l'anthropologie culturelle, est important. L'unanimité n'est pas faite sur l'âge de l'humanité. Mais on estime que la lignée Homo est apparue il y a environ trois millions d'années (certains auteurs disent cinq millions) et que notre espèce, l'Homo sapiens sapiens, pourrait être apparue il y a 300 000 ans.

À peu près tous conviennent que les premiers groupes humains ont vécu de la cueillette, de la pêche et de la chasse. Les stratégies et les techniques de cueillette, de chasse et de pêche variaient selon les groupes humains, les territoires et les sources de nourriture. Sans doute aussi sont apparues des formes de domestication d'animaux et de plantes. Mais pendant très longtemps, le mode de vie de l'être humain a reposé essentiellement sur la cueillette et la chasse.

C'est probablement entre 8 000 à 10 000 ans avant notre ère (donc il y a 10 à 12 000 ans) qu'est survenue la révolution agricole, possiblement en Égypte autour de ce que l'on appelle le Croissant fertile. On parle de révolution, car la diffusion rapide de l'agriculture a complètement changé le mode de vie et l'organisation des groupes humains. De nomades qu'ils étaient, les groupes sont devenus sédentaires, car il fallait aménager et organiser un territoire donné. On pourrait dire dominer. Travail du sol, sélection des espèces, apparitions des villages et des villes, spécialisation des métiers, transformation des rapports sociaux, augmentation de la population, etc.

Depuis un peu plus de deux siècles, nous sommes entrés dans l'âge industriel, qui se caractérise, entre autres, par l'utilisation extensive de l'énergie, la production et la consommation de masse, le recours croissant à la technologie, l'ampleur du phénomène urbain et un rapport de plus en plus distancié au milieu écologique avec la volonté de remplacer, dans les secteurs les plus pointus de la science et de la technique (biotechnologies, génie génétique, nanotechnologies) la nature par un milieu technique plus performant.

À mon sens, la représentation biblique du monde correspond au passage à l'âge de l'agriculture. Elle s'accorde mal avec une civilisation cynégétique. Elle est dangereuse pour une civilisation industrielle. Ce que la tradition scolastique prend pour une parabole valable pour tous les rapports de l'être humain à la terre, représente plutôt l'adéquation à l'âge agricole. Le passage à l'âge industriel exigera une réinterprétation de l'héritage.

D'UN ÂGE À L'AUTRE Y A-T-IL PROGRÈS ?
Quand nous parlons d'âges de l'humanité ou de périodes cynégétiques, agricoles et industrielles, nous avons tendance à penser l'évolution en termes de progrès voire de développement, de croissance. On pense à la typologie d'Auguste Comte passant d'un âge théologique, à un âge métaphysique à un âge positif ou scientifique. On catégorise l'âge des cueilleurs-chasseurs comme un âge primitif, sauvage, ignare, peu évolué, proche de l'état de nature. Par comparaison, l'âge agricole apparaît comme

un progrès avec la diversification des métiers, la construction des villages et des villes, l'apparition de l'agriculture, l'émergence de l'État. L'âge industriel enfin marque le triomphe de la science, de la raison, de l'accomplissement de l'humanité dans l'affirmation de son génie.

Il faut savoir gré à Jared Diamond d'avoir attaqué de front ce mythe du progrès, progrès inéluctable et nécessaire qui va du sauvage à l'homme moderne. Pierre Teilhard de Chardin, fervent partisan de l'évolution, avait tendance à penser que le processus de l'évolution dans l'espèce humaine tend à favoriser des groupes humains et des cultures alors que d'autres groupes humains sont un peu les inadaptés de l'évolution. Ainsi pensait Mathus. Ainsi pensait le peuple anglais à l'égard du peuple irlandais au milieu du 19e siècle et Lord Durham à propos des Canadiens français en 1838.

Dans cette représentation du progrès, les « sauvages » plus proches de l'état de nature sont plus primitifs, moins évolués et finalement moins humains que les autres, plus proches des animaux, pense-t-on. Et par conséquent, l'être humain d'aujourd'hui serait fatalement plus accompli, plus humain, moins barbare que son ancêtre d'il y a 200 000 ans.

Dans trois gros ouvrages qui constituent un traité de l'homme, Jared Diamond tend à démontrer le contraire (Diamond, 2000a, 2000b, 2006). Il indique notamment que son ami Yali, un pygmée de Nouvelle-Guinée (parmi les plus primitifs des primitifs, à nos yeux), est un homme aussi intelligent que quiconque, capable de résoudre des problèmes complexes, plein de belles valeurs. C'est un humain à part entière même si, selon nos catégories, il peut être rangé parmi les primitifs, les aborigènes ou les sauvages. Au fond, le cueilleur-chasseur n'est pas un barbare, un primitif, un non évolué. C'est un être qui a choisi de s'insérer dans la nature au lieu de la combattre. Il a une vision du monde, possède des techniques, pratique des arts fort complexes, parle, pleure et chante. Il a une culture qui détermine son rapport au monde. Bref, il n'est en rien inférieur à nous. Mais sa relation au monde est différente. Tous les auteurs que j'ai lus considèrent le passage à l'agriculture comme un progrès, un saut qualitatif. Diamond récuse cette opinion. L'agriculture augmente les ressources disponibles. Elle permet de ce fait un accroissement de population. Mais à quel prix? Les famines sont plus nombreuses et cycliques. Les maladies se développent à cause de la promiscuité des gens. La société se hiérarchise. Les métiers se diversifient et des castes émergent. En un sens, les intellectuels prennent possession de la société et la contrôlent. La société devient plus nombreuse, plus forte, plus belliqueuse, mais plus fragile en même temps (famines et épidémies). L'option agricole était-elle un si bon choix?

La contribution de Jared Diamond a le mérite de mettre en question le dogme du progrès et de nous obliger à penser les «âges» de la civilisation non pas comme un progrès, une progression allant du moins vers le plus, mais comme un mode de réalisation de soi valable et légitime. Les chasseurs-cueilleurs n'ont pas à devenir agriculteurs pour vivre pleinement leur humanité. Ils ont déjà un langage, des mythes, des récits, des formes d'expression artistique, une représentation du monde. La succession historique des ères: ère cynégétique, ère agricole, ère industrielle, suggère une évolution, un progrès. Il y a manifestement des formes nouvelles de rationalité. Mais les cueilleurs-chasseurs ne sont pas des barbares et nous ne sommes pas des sages.

Naturellement, quand il y a choc des civilisations, lorsque entrent en jeu les armes, les gènes et l'acier, la civilisation de la force et de la violence impose sa loi. La rencontre de l'Europe et de l'Amérique a été à cet égard catastrophique.

LA REPRÉSENTATION DU MONDE DES CUEILLEURS-CHASSEURS

Je ne suis pas anthropologue et il faudrait ici beaucoup de nuances et de recherches additionnelles. Mais de nombreuses études suggèrent que, chez les cueilleurs-chasseurs, la perception du monde n'inscrit pas de la même façon la rupture entre l'être humain et le milieu naturel. La relation semble d'abord vécue sous le mode de l'échange symbolique. C'est, comme dit Marcel Hénaff (2002), un monde en miroir. La terre est une bonne mère et c'est en se couchant sur elle et en se frottant à elle que l'être humain, comme l'animal, soigne ses blessures et calme ses douleurs. Dans la chasse, l'animal donne sa vie pour le profit de l'être humain. D'ailleurs, il n'y a pas rupture entre l'être humain et l'animal. L'esprit d'un aïeul ou d'un parent peut habiter le cerf, l'ours ou l'aigle que je chasse.

Dans les sociétés de chasseurs-cueilleurs, la relation au monde animal est une relation que l'on pourrait dire *paritaire*. Ou plus exactement une relation de don réciproque. Les animaux sont considérés comme des partenaires avec qui il s'agit de s'entendre. L'art de la chasse ou de la pêche n'est donc pas une simple technique de capture. C'est une négociation – au sens de l'élaboration d'un pacte – avec les animaux destinés à être piégés ou tués. Ils sont le plus souvent considérés comme des esprits ou liés à des esprits. Les mythes (ainsi en Amérique du Nord ou en Sibérie) les présentent comme formant des sociétés calquées sur celles des humains (systèmes de parenté, chefferies, formes de pensée). C'est un monde en miroir, ou plutôt un monde autre comme semblable. (Hénaff, 2002, p. 220)

La représentation de Dieu est alors essentiellement celle de l'immanence. La Terre est sacrée. Elle est habitée par Dieu. Il y a comme une libre circulation entre les êtres et les esprits, entre le monde d'en haut et celui d'en bas. Ce n'est plus en s'abstrayant du monde et en le dominant que l'être humain survit et accomplit sa vie. C'est plutôt en s'y inscrivant, en le mimant d'une certaine manière. D'où l'importante du totem. Le mécanisme ici semble moins la crainte ou la culpabilité que la communion, l'insertion, l'échange symbolique dans un monde en miroir.

LA RUPTURE DU PASSAGE À L'AGRICULTURE

Par rapport à une éthique d'insertion et d'adaptation de l'état de cueilleur-chasseur, l'agriculture apparaît comme une rupture avec le monde antérieur.

Selon Hénaff, c'est alors qu'apparaissent dans les religions la notion et la pratique du sacrifice.

Une réponse provisoire pourrait être celle-ci : le sacrifice serait le processus par lequel, en leur immolant un vivant, les hommes restituent aux dieux un contrôle ultime sur la nature et surtout sur la vie qu'ils se sont en partie arrogée. *Par là même, ils s'assurent que leur propre pouvoir reste dans le régime de la réciprocité.* C'est lorsque beaucoup est pris que beaucoup doit être rendu. Le sacrifice rétablit un rapport de don qui semblait diminué ou risquait de s'effacer. C'est donc toujours dans le moment même où les hommes développent leurs capacités techniques et réduisent leur dépendance par rapport au monde naturel que, par l'opération sacrificielle, ils limitent symboliquement ce pouvoir acquis. Limite qui concerne ce qu'il ne leur appartient pas de décider : le temps qu'il fera, la reprise de la vie, la fertilité des plantes et des animaux, le temps donné avant la mort, les événements accidentels, le désir ou le vouloir des autres. (Hénaff, 2002, p. 232-233)

Bref, en organisant sa vie autour d'activités agricoles, l'être humain ravirait symboliquement à la divinité une partie de son pouvoir, une certaine maîtrise de la vie et de la mort. Les espèces végétales sont sélectionnées et transformées (c'est en observant les pratiques agricoles que Darwin a eu l'intuition de l'évolution des espèces), l'animal est domestiqué, des races nouvelles apparaissent. Le monde naturel dans lequel l'être humain s'inscrit de son mieux devient un monde aménagé et transformé, domestiqué. Pensons aux jardins suspendus (en fait étagés) de Babylone. La terre sauvage devient un jardin et il y a concurrence entre l'espace humain et l'espace proprement naturel.

L'appropriation par l'être humain de ce pouvoir appartenant à Dieu est source d'angoisse et de culpabilité. D'où l'apparition des rituels de sacrifice. Par le sacrifice, l'être humain démontre sa soumission à l'égard de Dieu et rétablit symboliquement le pouvoir de Dieu sur la vie. D'où l'importance de l'offrande des prémices de la moisson et de tout premier-né mâle qui quitte le sein maternel. Ces pratiques sont clairement codifiées dans le Lévitique. Il est à remarquer qu'on ne sacrifie pas des animaux sauvages, mais toujours des animaux domestiques.

Dans beaucoup de religions agraires, on pratique aussi le sacrifice humain. Le premier enfant mâle est tué et offert à Dieu. Ce sacrifice du premier enfant mâle exprime en un sens l'extrême de la culpabilité et de la violence sacrée. Nous sommes ici dans le registre de la violence et de la vengeance. Pour payer son émancipation face à la puissance de Dieu présent dans la nature, l'être humain n'a d'autre choix que de tuer, de sacrifier son premier-né. Dans l'Antiquité, le mâle premier-né représente précisément l'espérance.

C'est dans ce contexte qu'il faut lire le récit si tragique du sacrifice d'Abraham. Abraham est un vieillard errant sans espérance quand l'ange du Seigneur lui annonce un fils impossible. Mais le miracle a lieu et l'enfant, Isaac, advient comme une promesse incroyable. Or, ce fils premier-né (si tard venu, si miraculeusement venu), Dieu demande à Abraham de le sacrifier. C'est parfaitement absurde. C'est un récit de soumission dans la foi.

> L'Ange dit : « N'étends pas la main contre l'enfant ! Ne lui fais aucun mal ! Je sais maintenant que tu crains Dieu : tu ne m'as pas refusé ton fils, ton unique. » Abraham leva les yeux et vit un bélier, qui s'était pris les cornes dans un buisson, et Abraham alla prendre le bélier et l'offrit en holocauste à la place de son fils. (Gn 22, 12-14)

La portée du texte hautement symbolique est assez évidente. Dieu ne veut pas le sacrifice d'enfants, d'êtres humains. L'enfant est racheté symboliquement par l'offrande d'un bouc. Dans le livre de l'Exode, ce rachat est mis en relation avec la sortie d'Égypte (Ex 13, 14-16). Quand Marie et Joseph présenteront l'enfant Jésus au Temple, ils feront l'offrande des pauvres : un couple de tourterelles ou de deux jeunes colombes (cf. Lc 2, 22-24).

Par rapport aux religions avoisinantes qui pratiquaient le sacrifice des enfants, le récit de Genèse 1, 1-2, 4b me semble donc assez explicite. Dieu n'est pas le rival de l'être humain. L'être humain peut dominer le monde à la manière de Dieu. Il n'a pas à se sentir coupable à cet égard. Il doit simplement rendre grâce et offrir à Dieu un sacrifice : les prémices des récoltes, le premier-né qui rompt le sein maternel pour les animaux. Le fils lui est racheté.

En fait, la théologie du sacrifice a longtemps persisté en Israël, particulièrement dans le courant sacerdotal. Les prophètes le dénonceront. « C'est l'amour qui me plaît et non les sacrifices, la connaissance de Dieu plutôt que les holocaustes » (Os 6, 6). Le vrai sacrifice est celui de la vie sainte : « *Qui offre l'action de grâces me rend gloire* » (Ps. 50, 23), « *Le sacrifice qui plaît à Dieu, c'est un esprit brisé* » (Ps 51, 19). Il y a dans la pratique du sacrifice, et parfois dans la mise en œuvre de la religion, une violence sacrée fort inquiétante. Il faut noter ici la contribution capitale de René Girard, qui a montré comment, en assumant et en transformant la violence sacrée dans l'amour et le don de soi, Jésus a dénoué ce complexe si profond de la violence sacrificielle, cette route des hommes pervers (Girard, 1972 ; Beauchamp, 2007).

VERS UNE RECRUDESCENCE DE LA VIOLENCE ?

Ce détour par l'anthropologie culturelle permet de situer et de relativiser le récit biblique des origines. C'est un récit sécurisant et déculpabilisant qui est une réponse à un monde qui est devenu agricole et où l'être humain pourrait se poser en rival face à Dieu. Par rapport aux religions païennes voisines, Israël affirme la transcendance de Dieu et la bonté du monde. Il associe l'être humain à la gérance de ce monde dans la symbolique de l'image. Mais le contexte est strictement agricole. Il n'y a qu'un Dieu et les autres forces obscures de la nature ne peuvent détruire l'œuvre divine. Le fidèle s'éloignera donc des idoles, des images fabriquées. Il délaissera le paganisme ambiant au profit d'un Dieu unique et transcendant, un Dieu dont la parole est efficace, qui crée le monde et accomplit le salut dans l'histoire. Le mythe biblique des origines a été malheureusement considéré comme la seule représentation possible du monde et de Dieu, il a été appliqué au pied de la lettre au passage du monde agricole au monde industriel et technique. Il est regrettable que Descartes ait cru que l'homme puisse devenir, grâce à la raison, «maître et possesseur de la nature» Nous sommes alors passés d'une symbolique de la collaboration avec Dieu, d'une intendance placée sous son autorité, à une volonté de puissance totale sur le monde. Moltmann montre qu'il en est résulté une transformation de l'image de Dieu. Dieu a été défini comme la toute-puissance, la puissance suprême. Avec l'autonomisation du sujet, nous sommes entrés dans un athéisme à symbolique chrétienne. Toutes les références y sont, mais Dieu a été évacué.

C'est pourquoi je dis qu'il faut reconstruire notre vision du monde. Cette vision doit être capable d'englober les chasseurs-cueilleurs, l'âge agricole et l'âge technique moderne. Mais alors que les Écritures sacrées nous ont donné un mythe pour vivre religieusement dans un monde devenu agricole, nous n'avons pas de mythe pour la partie de nous-mêmes qui est immergée dans le monde technique d'aujourd'hui. On peut d'ailleurs penser que le recours à la violence sous toutes ses formes correspond à la résurgence d'un sentiment de culpabilité très fort chez nos contemporains, culpabilité d'autant plus forte qu'elle est niée et refoulée et qu'elle s'affirme donc à travers les échappées de l'inconscient. Au plan collectif, je pense à la recrudescence de la guerre, avec l'utilisation massive d'armes atomiques dites allégées et, surtout, à l'emploi de plus en plus systématique de la torture. Le rapport 2007 d'Amnistie internationale fait état de 81 pays où l'on inflige des tortures et des traitements cruels, inhumains ou dégradants, en violation de la Convention de 1948. Je pense, bien sûr, aussi au terrorisme et à la diabolisation des adversaires. Sur le plan individuel, je pense à la progression du suicide, bien que les dernières statistiques semblent indiquer un plafonnement et un possible effet de génération. Je pense à l'émergence des groupes criminalisés et à leurs pratiques violentes. Je pense à la pornographie. Je pense surtout aux rituels de marquage du corps que représentent le tatouage, le piercing et les sports extrêmes. C'est tout le contraire de l'amour de soi. C'est la haine de soi, la violence retournée contre soi. Il y aurait beaucoup à dire aussi au sujet de la transformation plastique du corps qui est bien une manière de s'offrir en sacrifice et de souffrir pour être beau (belle) ou obéir à la mode. Je pense encore aux innombrables charniers d'animaux abattus par milliers à la suite de l'apparition de la maladie de la vache folle, de la grippe aviaire et de la fièvre aphteuse.

Une nouvelle parole pour aujourd'hui ?

À mon sens, il y a une dimension religieuse profonde inhérente à la crise de l'environnement. Il y a une culpabilisation inconsciente qui n'a pas de langage pour se dire. Bien sûr, un certain discours scientifique et technique se fait rassurant et nous propose la fuite en avant comme salut efficace. L'énergie atomique pour arrêter les changements climatiques, les biotechnologies pour nourrir l'humanité, le génie génétique pour vaincre les maladies, la mise en place d'un système technique capable de se substituer au système naturel, etc. Cette fuite en avant est à mon sens illusoire, dans la mesure où toute technologie a des effets pervers (dont les risques d'accidents) qui n'apparaissent qu'à l'usage. L'auto le montre bien.

Faut-il revenir à l'état de chasseurs-cueilleurs ou à la pratique de l'agriculture du 17e siècle? C'est peut-être le sort qui est réservé à nos descendants. Mais pour l'instant, nous ne pouvons pas feindre l'ignorance. Il nous faut reconstruire une vision religieuse capable de rendre compte des sagesses anciennes et de nous offrir des pistes significatives pour aujourd'hui, dans l'état de l'humanité qui est le nôtre, quitte à inventer des pratiques individuelles et collectives moins dommageables pour l'environnement et plus durables écologiquement.

À cet égard, il n'y a pas de récit biblique tout fait parce que notre situation est radicalement nouvelle. La représentation traditionnelle d'un monde confié à l'être humain pouvait, à la rigueur, convenir dans un contexte agricole traditionnel. Elle est inadéquate à l'heure du productivisme agricole et du génie génétique. La nature n'est pas entièrement confiée à l'être humain, car celui-ci fait partie du système naturel. Sa sortie par la culture exige aussi un retour. «Tout est à vous, mais vous, vous êtes au Christ, et le Christ est à Dieu», dit saint Paul (1 Co 3, 22-23). Le système de Paul est théocentré. La culture d'aujourd'hui est toute centrée sur l'être humain. Elle est sans Dieu, sans avenir, sans eschatologie. Mais le temps presse.

Dans un univers de cueilleurs-chasseurs, Dieu est d'abord perçu comme immanent au monde. Dominer le monde veut alors dire cueillir et chasser, parler aux plantes et aux animaux en partageant la même vie. Dans le mythe biblique, Dieu est d'abord perçu comme transcendant et la nature est en un sens désacralisée, « livrée entre vos mains » (Gn 9, 2). Le sacré est alors dans l'homme. Il passe de Dieu à l'être humain, son image, et de ce dernier à la nature. Nous avons vu plus haut que cette insistance sur la transcendance de Dieu n'est pas absolue dans la Bible et que de nombreux courants de prière et de sagesse reconnaissent aussi l'immanence de Dieu.

La crise écologique nous oblige à faire un retour sur nous-mêmes et à comprendre que la nature ne peut pas être simplement un objet entre nos mains. Il y a une nécessaire dépendance entre l'être humain et le monde naturel qui l'entoure, une inclusivité de l'un dans l'autre et vice versa. Une représentation de pure extériorité est inadéquate. En tant que croyants, nous avons donc à retrouver les lieux de l'immanence divine sans pour autant glisser vers le polythéisme ou le panthéisme. Certains courants chrétiens craignent à cet égard de laisser une trop grande place à l'environnement et à l'immanence de Dieu. Ils y voient un retour à la religion naturelle et un oubli de Jésus Christ. Pourtant dans la foi chrétienne, le Dieu qui crée est aussi celui qui sauve. La création est la première Alliance. La résurrection du Christ, pour sa part, a des retentissements cosmiques. En son corps ressuscité, la création fait retour et trouve son achèvement.

Il y a en ce domaine un immense travail théologique à accomplir.

Chapitre 5

ENVIRONNEMENT ET PRIÈRE LITURGIQUE

Avant de traiter du thème si complexe de l'environnement et de la prière liturgique, je tiens à signaler à nouveau le caractère sommaire, voire lacunaire, du présent essai. Je plaiderai ici pour une inscription plus marquée de l'environnement dans la prière liturgique, et en particulier dans l'eucharistie. J'ai conscience que je vais toucher à des questions d'une rare complexité qui demanderaient un véritable traité plutôt que ce modeste essai. Il ne me paraît pas faux de dire que, règle générale, la liturgie chrétienne ne célèbre pas la nature et la création. Elle célèbre l'avènement de Jésus Christ, sa venue parmi nous, sa passion, sa mort et sa résurrection. Toute eucharistie est d'abord et avant tout pâque du Seigneur. Toutefois, dans le déploiement de la prière officielle de l'Église, la liturgie emprunte constamment des symboles et des images tirés du milieu écologique.

Milieu écologique et prière personnelle

La liturgie est la prière officielle de l'Église. Cette prière est aussi toujours communautaire. C'est la prière d'un peuple qui loue Dieu et lui rend grâce. Antérieurement à cette prière du peuple chrétien tout entier, il faut dire un mot de la prière personnelle. Autrefois, le chrétien avait coutume de dire sa prière personnelle en de multiples occasions, le matin et le soir, au moment de l'angélus. Prière individuelle au pied de son lit, prière en famille assortie de multiples pratiques et dévotions. Depuis deux générations, la coutume de la prière individuelle consistant en formules apprises (Ave Maria, Notre Père, Actes, etc.) a beaucoup régressé. À notre grand étonnement, elle est toujours observée chez les juifs, les musulmans et dans plusieurs religions orientales. La sécularisation chez nous a été assez radicale. Je connais bon nombre de chrétiens qui ne prient plus jamais dans leur vie quotidienne, par oubli, par gêne, par peur de tomber dans la magie.

Occasionnellement, sans recourir à des formules, il nous arrive de méditer. En français, le mot méditer se réfère à la prière mentale dépourvue de formule répétitive. La méditation peut consister en une réflexion méthodique, en un retour sur soi, en une démarche intellectuelle complexe. Je pense à la méthode sulpicienne : Jésus devant les yeux, Jésus dans le cœur, Jésus dans les mains ou le recours ignacien à l'imagination. La méditation peut aussi consister en une prière sans parole qui fait naître le sentiment d'une pure présence d'amour. Le vocabulaire théologique français la désigne sous le nom de prière d'oraison, alors qu'en anglais, on dit encore simplement « meditation ». Le sens est alors voisin de la méditation à l'orientale (c'est le sens de la méditation chrétienne chez John Main) où la répétition d'un mantra vise à décanter la réflexion intérieure de façon à parvenir à la pure contemplation.

Pour beaucoup de gens, l'environnement inspire une prière méditative. On peut prier enfermé dans sa chambre et les yeux fermés, en allant du dehors vers le dedans, vers le soi et le soi du soi. On peut prier aussi en contemplant la nature, en regardant un ruisseau ou la mer, le ciel ou la montagne, en s'asseyant dans l'herbe, en marchant dans le vent. L'expérience cosmique est un lieu jamais épuisé qui mène à la prière. La tradition chrétienne, qui n'est pas spontanément axée sur la nature, regorge toutefois de poèmes et de prières qui chantent la beauté de la création, l'harmonie des choses et la gloire de Dieu qui y resplendit. « Les cieux racontent la gloire de Dieu » (Ps 19,1).

Quatre sentiments sont susceptibles d'être éprouvés devant la nature : l'étonnement, la crainte, l'admiration (j'emprunte ces termes à Audet, 1967) et le sentiment d'appartenance.

L'environnement est d'abord une source continuelle d'étonnement. La nature est à la fois toujours la même et toujours changeante : l'eau qui coule, la flamme qui rougeoie, danse et brille, le vent qui s'élève et s'apaise faisant danser les arbres, le ciel dont les nuages mobiles ne cessent de tracer un inextricable dessin, les étoiles, la mer, l'oiseau, etc. Il faudrait ici citer Bachelard et évoquer l'infinie plasticité des symboles naturels. Remédiant à l'ennui, à la fatigue, au stress, la contemplation de la nature fournit toujours des occasions de s'émerveiller et de renouveler son regard.

La nature nous permet aussi de voir notre petitesse, de saisir la brièveté de notre vie. Notre vie est comme l'herbe des champs, fragile et passagère. Le temps coule entre nos doigts comme une eau insaisissable. Crainte qui peut se transformer en terreur quand la tempête se déchaîne. Ainsi, durant les orages, ma mère fermait les rideaux, allumait un cierge et nous faisait prier. C'était l'heuristique de la peur. Parfois c'est simplement une crainte révérentielle, le sentiment d'une grandeur hors mesure. « Qu'il est grand ton nom par tout l'univers ! »

Le sentiment dominant que nous ressentons face à l'environnement c'est, me semble-t-il, celui de l'appartenance et de l'inclusion. C'est le sentiment de l'immanence de Dieu dans le monde, de notre propre immanence à ce monde. Une certaine tradition dualiste, dont l'origine biblique est assez connue, nous a incités à croire qu'il y avait une rupture radicale entre la création et nous, comme si nous étions en dehors ou au-dessus de la création. Or cette attitude est contestable dans la mesure où, comme je l'ai expliqué précédemment, notre corps porte la trace de toute l'histoire de la vie. L'être humain n'est pas « un ange déchu qui se souvient des cieux » (Lamartine). Il est plutôt l'écho de la nature qui aspire à s'élever vers Dieu. Pour reprendre la belle expression de François, en regardant frère Soleil, sœur Lune, sœur Eau, nous prenons conscience des liens infinis qui unissent notre corps au cosmos. Nous sommes en ce sens poussière d'étoiles. En nous fondant dans la nature, nous retournons à ce que j'appelle notre archéologie cosmique. Chaque cellule de notre corps se souvient du Big Bang, de l'apparition de la première bactérie, du premier mammifère, etc. C'est de là, à mon sens, que vient la croyance en la réincarnation. Sauf qu'à mon avis, ce souvenir n'est pas psychique mais cosmique. Ce sentiment d'appartenance et d'inclusion réciproque de mon corps dans le cosmos et du cosmos en moi est profondément religieux et toujours essentiel. Au plan des systèmes de croyances, on peut lui donner une signification païenne, panthéiste ou chrétienne. Cela importe peu. L'expérience de la totalité et de la plénitude est un moment privilégié de prière.

L'admiration ou l'action de grâce est le couronnement de la prière cosmique. L'étonnement et la crainte sont des déclencheurs. L'appartenance est déjà plénitude. Mais l'accomplissement est l'action de grâce. Rendre, dit saint Paul, grâce pour grâce. Alors la boucle se referme. Il y a d'abord le mystère de la beauté. Pourquoi trouvons-nous beau un chant d'oiseau, un coucher de soleil, un plan d'eau, un arbre qui ploie sous le vent ? La science peut étudier chaque phénomène et le réduire à des informations transmises, voire à des formules mathématiques. Mais tout n'est pas simplement bleu, vert, froid, chaud, loin, gris, sonore. C'est également beau. Comme dit Gabriel Marcel, la beauté est un message à quelqu'un. Une émotion monte en nous et nous voilà les larmes aux yeux. Des rires d'enfants, des accords de Mozart, un vol d'oiseau, et nous voilà ravis. Admiration d'abord, puis action de grâce. Le sentiment religieux peut rester en deçà de l'action de grâce, s'enfermer par exemple dans la culpabilité ou le moralisme. Selon moi, il arrive à maturité quand il devient louange, gratitude, action de grâce. Il n'y a jamais de plus belle prière que de trouver la création belle, de dire merci à Dieu d'être au monde et de participer à cela, de lui rendre grâce pour tout cela. D'ailleurs, dans la tradition chrétienne, action de grâce se dit aussi eucharistie.

Liturgie chrétienne et histoire du salut

Toute religion a ses rites et ses symboles qui la distinguent des autres religions. La prière liturgique confesse et met en œuvre la foi chrétienne. « *Lex orandi, lex credendi* », dit un proverbe. La prière publique est la règle de la foi, la règle de la foi est aussi la règle de la prière.

Nous avons vu au chapitre 4 comment Israël essaie de se démarquer du paganisme ambiant en insistant sur la transcendance de Dieu et ce que l'on appelle l'histoire du salut. Alors que les traditions païennes croient en l'immanence de Dieu et en l'émergence du divin à travers les prodiges de la nature, Israël met au premier plan l'histoire du salut, c'est-à-dire l'action entreprise par Dieu (Yahvé) auprès de son peuple pour le faire sortir de l'Égypte (Exode), le faire entrer dans la Terre promise, lui confier la Loi et faire de lui un peuple saint consacré à Dieu. C'est donc autour du Temple de Jérusalem que s'organise le culte. Il y a certes bien des vestiges de lieux de pèlerinage, de sanctuaires et de traditions différentes en Israël, mais c'est autour du Temple que se constitue la religion officielle et que le culte prend forme.

La fête centrale du calendrier juif est sans doute la Pâque, possiblement confondue à l'origine avec la fête des Azymes. La tradition sacerdotale distingue les deux fêtes. La tradition deutéronomique les associe. La pâque est une fête du printemps où l'on immole et consomme un agneau. C'est une fête d'origine agraire dont le contenu évoluera vers l'histoire du salut. Elle deviendra célébration et mémorial de la sortie d'Égypte.

Il en va de même de la fête de la Pentecôte, qui était à l'origine une fête agricole, la fête des semaines (sept semaines après l'apparition des premiers épis d'orge) qui deviendra la fête de la conclusion de l'Alliance. La troisième grande fête du calendrier est celle des Tentes qui était aussi à l'origine une fête agricole. Elle était une fête de vendange puisque les gens vivaient dans des huttes au temps de la moisson. Elle est devenue la fête du rappel du séjour au désert. Cette fête correspond vraisemblablement à la fête du Nouvel An puisque l'année commençait à l'automne. Plus tard, Israël adoptera le calendrier babylonien et fera débuter l'année au mois de nisan, au printemps.

La piété juive est d'abord familiale, scandée par le repos sabbatique. Le Temple est surtout un lieu de sacrifice et de pèlerinage. Le service à la synagogue est relativement tardif et remonte vraisemblablement à l'époque de l'exil. On y lisait principalement la Parole de Dieu, on chantait des psaumes et on disait des prières. C'est sur cet héritage que s'est constituée la liturgie chrétienne. À l'origine, la première communauté apostolique n'a pas eu une conscience nette de son identité. Jésus fréquentait la synagogue et l'Évangile de Jean nomme trois des fêtes de la pâque auxquelles il aurait pris part. Après la mort de Jésus, les premiers croyants fréquentaient le Temple et s'associaient aux prières. Mais ils se réunissaient aussi entre eux pour célébrer le repas du Seigneur en souvenir de la Cène, de la mort et de la résurrection du Christ.

La messe a pris forme quand les chrétiens ont été chassés de la synagogue. Ils ont continué à célébrer le repas du Seigneur le jour du Seigneur (le dimanche) en adjoignant à cette rencontre le rite de la synagogue fait de lectures de la Bible et de psaumes. C'est pourquoi l'on parle toujours des deux tables de l'eucharistie : la table de la Parole et la table du repas, laquelle est la table du corps et du sang du Christ.

L'ancrage de la liturgie chrétienne dans la tradition juive fait que la liturgie chrétienne est d'abord et essentiellement la célébration de l'histoire du salut. Ainsi, la fête chrétienne par excellence est celle de Pâques, célébrée le dimanche qui suit la pleine lune du printemps.

Événement central de la liturgie, Pâques célèbre la mort et la résurrection du Seigneur. Cette fête est reprise chaque dimanche inlassablement, et c'est la présence et l'action du Christ qui sont derrière les autres éléments de la liturgie, les sacrements et l'office divin.

L'année liturgique

Il devient assez clair, d'après ce qui précède, que l'axe central de la liturgie chrétienne n'est pas la création ou la nature, mais l'histoire du salut résumée en la personne du Seigneur Jésus. Pour utiliser un langage technique, c'est la rédemption qui est au centre de la liturgie plus que la création. Mais les deux ne s'excluent pas puisque le Dieu qui crée est aussi le Dieu qui sauve et que la création est en quelque sorte une première alliance. Nous avons vu que les grandes fêtes juives (la pâque, la Pentecôte, les Tentes) sont à l'origine des fêtes agraires « païennes » transformées par le rappel de l'histoire du salut. Il en ira de même pour la liturgie chrétienne.

À l'origine, le calendrier juif est lunaire, avec douze mois de 29,5 jours, ce qui donnait un retard d'environ 11 jours sur l'année solaire. On ajoutait donc un mois tous les deux ou trois ans. En fait, le comput du temps pour les anciens était toujours très complexe, le mois lunaire ayant en fait 29 jours, 12 heures et 44 minutes, alors que l'année solaire, c'est-à-dire le temps que prend la Terre pour compléter sa révolution autour du Soleil, est de 365 jours et un quart (en fait, 365 jours, 5 heures, 48 minutes, 42 secondes). Avec les instruments du temps, il était impossible de parvenir à un ajustement parfait de sorte que les fêtes lunaires (les néoménies) et les fêtes solaires (notamment les solstices) sont les références du calendrier religieux. Le contenu des fêtes change, leurs dates se perpétuent. C'est Jules César qui fixa l'année solaire en insérant l'année bissextile aux quatre ans. En 1582, Grégoire XIII remania le calendrier julien.

Tant que l'Église est restée une communauté persécutée vivant plus ou moins dans la clandestinité, le calendrier liturgique ne s'est pas beaucoup développé. Après 325, la religion chrétienne est devenue la religion d'État et peu à peu le paganisme a été interdit. Il fallait en quelque sorte christianiser les fêtes païennes.

L'année liturgique s'est donc constituée en conséquence. La fête de Pâques a été développée et s'est déployée en amont (le Carême) et en aval (le temps pascal). Il existait des fêtes païennes du Soleil au solstice d'hiver et au solstice d'été. La fête du solstice d'hiver est devenue Noël, fête du Christ Soleil de justice. L'Église grecque a fait d'une fête équivalente en Orient la fête des Mages. L'Église orthodoxe n'ayant pas accepté la réforme grégorienne, cette fête tombe aujourd'hui le 6 janvier. Le solstice d'été est de son côté devenu la Saint-Jean, fête du Précurseur. Là aussi, il y avait une fête païenne avec ce que l'on nommera les feux de la Saint-Jean. Et ainsi de suite pour la fête des morts et d'autres fêtes. Au fond, les grands cycles de la nature, les saisons, les équinoxes et les solstices rythment l'existence humaine et constituent l'ancrage des fêtes religieuses.

L'Église a converti ces rythmes naturels, cosmiques et païens en fêtes chrétiennes. Mais l'ancrage est bien antérieur au christianisme et appartient au fond commun de l'humanité.

À mesure que l'Église a pris la maîtrise de la société, elle lui a imposé un calendrier. Ainsi, les fêtes d'obligation (l'Annonciation, Noël, le Jour de l'an, les Rois, la Toussaint, etc.) étaient dans la société québécoise des fêtes civiles. Aujourd'hui, nous assistons à l'inverse. La société se sécularise et s'invente de nouvelles fêtes : Fête nationale, fête de la Confédération, fête du Travail, fête de l'Action de grâce. On voit poindre de nouvelles fêtes séculières ou politiques qui font réapparaître, sous d'autres formes, les exigences d'un religieux naturel. Je pense à l'Halloween (qui est une Toussaint), à la fête des Mères, ou à diverses manifestations comme la Marche de la fierté gaie. La liturgie traditionnelle avait grandement pactisé avec le religieux païen qui la précédait. Il y a eu d'abord – en opposition à la tradition juive – le retour des statues et de l'ornementation. Le temple chrétien est devenu fastueux. Le culte des saints a été encouragé et fait parfois penser à un retour du polythéisme antérieur. Le saint patron est une espèce de demi-dieu alors que le bestiaire des cathédrales est souvent constitué de divinités hostiles. Les rites agraires ont survécu : rogations, quatre-temps, processions, mois de Marie, sites funéraires.

Il y a au fond un conflit jamais résolu entre une conception très épurée de la liturgie chrétienne, axée sur la célébration du mystère pascal et sur l'histoire du salut, et une conception plus large qui intègre la religiosité globale de l'être humain, entre le salut donné par Dieu et par la grâce et l'effort de l'être humain pour rejoindre et symboliser Dieu. Le concile Vatican II s'est appliqué à épurer la liturgie et à l'axer davantage sur le mystère du Christ. C'était indispensable. Mais, ce faisant, il l'a intellectualisée, aseptisée, pourrait-on dire, et l'a confinée dans un biblisme abstrait.

Sans délaisser l'axe proprement chrétien, il faut à mon sens mieux concilier l'immanence et la transcendance dans la liturgie chrétienne, l'action divine et l'instinct religieux. Pour nous guider, il est bon de rappeler deux critères que suggérait le père Yves Congar en 1967.

1. Ces formes matérielles sont nombreuses et variées; chaque époque, chaque culture peut et doit y ajouter celles qui conviennent à son génie et à ses ressources. Elles sont cependant limitées et l'on retrouve fatalement certaines constantes. Il existe des formes *religieuses* analogues dans toutes les religions. On ne peut guère éviter de les utiliser dans le christianisme. Mais le christianisme est autre chose qu'une religion parmi les autres: il consiste tout entier en la Personne de Jésus-Christ, centre et consommation de l'Histoire sainte. Il est nécessaire de ne jamais laisser les expressions chrétiennes s'identifier à celles de l'instinct religieux naturel; il faut toujours les ramener au positif historique de la Foi et des évènements par lesquels Dieu s'est manifesté comme venant à nous. Noël ne peut se dégrader en fête de l'enfance, Noël, c'est Jésus-Christ. Pâques est autre chose qu'une célébration du printemps, c'est la Résurrection du Seigneur crucifié. Dans notre célébration des saints, dans notre prédication des pèlerinages, etc., il faut toujours veiller à ramener ce qui se loge là-dedans d'instinctivité « religieuse » ou de sens naturel du « sacré » au positif de la Foi, c'est-à-dire des faits de l'histoire du salut. C'est à cette condition que nous éviterons le « mythe », avec ses accompagnements faciles de superstition et de magie.

2. Nous éviterons au maximum un « sacré » chosiste, tenant aux choses comme telles, en sachant que l'homme croyant, aimant et priant est toujours le but de notre recherche de formes sacrées. Il est le lieu où s'établit la signification de ces formes. C'est lui, dans l'authenticité de sa vie de communion avec Dieu par Jésus-Christ en l'Esprit Saint, qu'il s'agit d'« édifier » (au sens biblique, et non pas « pieusard » du mot). La critique des formes du culte, commencée par le Mouvement liturgique et poursuivie par le Concile, doit être poussée plus loin encore. La part du sacré purement cérémoniel, parfois d'origine séculière, est encore très excessive. Non qu'on doive la réduire à rien, nous l'avons assez montré, mais il faut encore l'alléger, la simplifier, la

critiquer selon le critère de vraies significations *chrétiennes* et d'une intelligibilité réelle. Nous n'aurons jamais fini de devenir chrétiens, libres citoyens du peuple messianique en itinérance sur cette terre vers le Saint des Saints auquel, déjà, nous avons spirituellement accès. (Congar, *La liturgie après Vatican II*, 1967, p. 402-403)

Quelques propositions de mise en œuvre

La liturgie est une réalité complexe et difficile. Elle est le double fruit d'une création et d'une tradition. On connaît certains créateurs dont plusieurs étaient même papes : Léon, Gélase, Grégoire. Mais le poids de la tradition est énorme, comme si le passé était plus vrai que le présent. On me dira que le passé a résisté au poids du temps. Mais le créateur d'aujourd'hui est aussi proche du Ressuscité que l'était le créateur du IVe siècle, et il faut lui donner une chance de s'inscrire dans une tradition vivante si l'on veut maintenir le patrimoine. Car le patrimoine est ce qu'on reçoit et qu'on lègue après l'avoir, si possible, amélioré.

La liturgie n'est pas un donné constitué et passif qu'il s'agirait simplement de conserver. D'ores et déjà, c'est un fourre-tout qui contient le meilleur et le pire, le sublime comme le trivial. Le sublime, ce serait l'Exultet. Le pire, je dirais la préface du Christ-Roi, un véritable pensum abstrait et indigeste, ce que j'appelle le ronron clérical. Le trivial c'est cette manie de la pureté et de la culpabilisation. Je pense aux prières que murmurait le prêtre en s'habillant. Il y avait là une horreur de la condition charnelle ! Augustin soutenait qu'un homme qui avait fait l'amour ne pouvait communier le lendemain. On voit ici le blocage du sexe, de l'impur et de l'interdit.

Quand dira-t-on l'inverse, qu'un homme qui n'a pas fait l'amour à son épouse désirante ne peut pas communier le lendemain ? Posons-nous la question : que serait une liturgie qui prendrait comme point de départ une vision de l'être humain inscrit profondément dans le monde naturel plutôt qu'un être humain surplombant ce même monde, un être humain solidaire plutôt que dominant ? Une approche biocentrique, donc si l'on veut, qui ne nie pas la spécificité humaine, mais qui fait retour à l'environnement parce que l'absurde est devant nous. Cessons d'affirmer uniquement la transcendance absolue de Dieu. Reconnaissons aussi son immanence. Les autres religions ne sont pas d'abord des adversaires. Elles le sont toujours en partie, car dans n'importe quel groupe, il y a toujours des individus prêts à mener une guerre sainte. D'où l'importance de la prudence. Considérons les autres comme des partenaires d'abord, des personnes cherchant Dieu. Qui n'est pas contre nous est pour nous, plutôt que qui n'est pas pour nous est contre nous. Le premier sens est inclusif, l'autre est belliqueux, dualiste et exclusif.

Globalement, pour l'instant, la liturgie est dépourvue de ce que l'on pourrait appeler une vraie louange cosmique. Il y a de magnifiques prières, les psaumes 8, 104, 148, le cantique des enfants dans la fournaise de Daniel. Mais la prière eucharistique ne contient pas de véritable louange de la création. On ne s'attarde pas sur l'eau, l'air, la terre, le feu, ni sur le mystère si complexe du végétal. Tout est chimiquement pur, entendons chimiquement chrétien.

Prenons la préface des dimanches n° 24, dite de la création.

> Vraiment il est juste et bon de te rendre gloire et de t'offrir notre action de grâce, toujours et en tout lieu, à toi, Père très saint, Dieu éternel et tout-puissant, à toi, Créateur de tous les éléments du monde, Maître des temps et de l'histoire. C'est toi qui as formé l'homme à ton image et lui as soumis l'univers et ses merveilles; tu lui as confié ta création pour qu'en admirant ton œuvre il ne cesse de te rendre grâce par le Christ, notre Seigneur.

La préface s'adresse au Père et attribue au Père l'œuvre de la création. Elle affirme avec insistance l'intendance de l'être humain sur la création dans un contexte d'action de grâce. C'est un texte fortement anthropocentrique. Mais sur la création elle-même il n'y a rien, ni sur les catégories trophiques (eau, air, sol, vie végétale, vie animale), ni sur l'équilibre de la nature, sa beauté, sa grandeur, son harmonie, sa diversité, ni sur les rapports difficiles de l'être humain avec la nature dans le contexte actuel. Il manque à cette préface une réelle perception de la création.

La prière liturgique est presque toujours descendante. Elle part de Dieu, de l'histoire du salut et descend jusqu'à nous. Qui dans l'assemblée connaît Abel, Melchisédech, Samuel, David? La liturgie ne part jamais d'en bas, de la source, de l'air, de l'arbre, de l'oiseau. Ni de la truite, ni du castor. Ni de la baleine si menacée, ni de la morue, ni de l'ail des bois. La liturgie est théologique, mais elle est abstraite. Cela nous permet de comprendre pourquoi les jeunes vont voir ailleurs.

Pour mettre en œuvre un renouvellement de la liturgie, je suggère donc que l'on implante ici et là des centres de créativité liturgique axés sur l'environnement. Qu'on apprenne à prier et à célébrer liturgiquement une louange chrétienne profondément inscrite dans l'environnement. Il faut des textes nouveaux, des symboles nouveaux.

Il faut expérimenter en abandonnant pour un instant l'obsession du théologiquement correct. Il faudrait des centres chrétiens d'exploration. Il faudrait aussi que des centres de retraite permettent une vraie initiation à l'environnement qui inclurait un savoir technique et symbolique, un savoir-faire mais surtout un savoir-vivre. Des initiatives surgissent, en ce sens, particulièrement à la CRC. Il faut intensifier les efforts. D'ores et déjà dans la liturgie, des expériences sont possibles. Donnons quelques exemples.

Durant l'eucharistie, après le Pater et sa prière de conclusion, on trouve cette prière d'introduction à l'échange de la paix :

> Seigneur Jésus Christ, tu as dit à tes Apôtres : «Je vous laisse la paix, je vous donne ma paix»; ne regarde pas nos péchés mais la foi de ton Église; pour que ta volonté s'accomplisse, donne-lui toujours cette paix et conduis-la vers l'unité parfaite.

Pourquoi une fois encore rappeler ici nos péchés. Nous sommes dans un moment de grâce. Le Christ est présent. Le Notre Père a été récité. Il faut partager la paix. L'auteur de la prière revient sur le péché. Il y a sans doute ici une allusion à la division des chrétiens qui est un drame absolu. Mais pourquoi, en pensant à Dieu, faut-il toujours associer l'image du péché ? Voici une prière d'inspiration orientale :

> La paix du ciel, la paix de la terre, la paix des eaux, la paix des plantes, la paix des arbres, la paix de l'univers, la paix de la paix, que cette paix vienne à moi (Pelt, 2008, p. 70)

Prenons un autre exemple. Dans la spiritualité amérindienne, la naissance d'un enfant est un événement extraordinaire. C'est la confirmation de la continuité du monde, de soi-même et de son clan, bien sûr, mais aussi de toute la création. Pour symboliser cela, l'enfant est présenté à la nature. On porte l'enfant aux quatre coins cardinaux et on invite les plantes et les animaux à se réjouir de cette naissance et à prendre soin du nouveau-né. En retour, on le comprend, l'enfant sera appelé à révérer et à respecter cette nature. Nous sommes ici en contexte d'alliance et non de compétition. Pourquoi ne pas insérer cela dans notre célébration du baptême ? D'ailleurs, j'ai des collègues qui le font d'ores et déjà dans les communautés amérindiennes, à l'insu sans doute des autorités en place. J'associerais à ce rite de présentation un rite d'encens (la fumée est très importante chez les Amérindiens), rite qui sera repris aux funérailles, car la naissance et la mort s'inscrivent dans le cycle de la vie.

Voici dans cet esprit une prière que j'ai composée et qui demanderait d'être corrigée et complétée :

À l'ouest, au sud, à l'est, au nord, je présente N_____.
Je m'adresse au soleil, à la terre, aux étoiles. Une vie nouvelle nous est donnée. Daignez l'accueillir dans la bonté de Dieu.
Et vous les oiseaux, grands et petits
Et vous les poissons des lacs, des rivières et de la mer
Et vous les animaux de la terre ferme, grands et petits
Et vous les plantes de la plaine et de la montagne
Réjouissez-vous, accueillez cette vie.
Accompagnez N_____ et rendez sa route agréable
Qu'en retour, N_____\ développe un sentiment de révérence à l'égard de toute vie dans la puissance de l'Esprit saint, source de vie et d'amour. Amen.

Je pourrais donner encore une dizaine d'exemples et citer d'autres textes. La liturgie repose sur le principe que seule l'Écriture sainte est acceptable et que l'œuvre du salut est l'unique objet de la célébration. Il y a là une double méprise. Il y a dans les autres religions comme chez les poètes et artistes des semences du Verbe. Il est des textes de la Bible ennuyeux comme la pluie ou carrément débiles. Il y a chez nos auteurs contemporains des textes sur l'amour, la mort, la douleur, la solitude, la peur, la foi absolument déchirants. On ne peut certes pas qualifier ces textes de sacrés. Ils n'ont pas été inscrits dans le canon. Mais on peut les lire et les utiliser en introduction. J'ai fait beaucoup de baptêmes, de mariages, de funérailles. Très souvent la parole de Dieu circule mieux hors des textes officiels à travers les méandres, les hésitations et les révoltes de nos contemporains. Dans 90 % des baptêmes que j'ai célébrés et où j'ai permis aux gens de faire des choix, les gens ont retenu le texte de Khalil Gibran : « Vos enfants ne sont pas vos enfants. » Gibran était plutôt un poète maudit. Mais ce texte-là est splendide et va droit au cœur. Je ne plaide pas ici pour une exploration tous azimuts. Je plaide pour de nouveaux espaces de créativité. La réaction actuelle au Vatican est l'inverse. Revenir au latin, faire marche arrière, réaffirmer les convictions acquises, se braquer contre la nouveauté. C'est un réflexe de peur. C'est surtout une méprise profonde sur l'expérience de nos contemporains. La crise de l'environnement nous renvoie à ce qu'il y a de plus primitif, de plus originaire en nous. Il faut remonter vers la source, avant le christianisme, avant la religion elle-même, pour saisir l'ampleur de la question.

Si le Christ est le Verbe, l'homme primordial, il nous faut aussi faire ce long pèlerinage aux sources. Il est l'origine et la fin, l'alpha et l'oméga. La liturgie doit porter les deux lettres sans jamais perdre le fil du sens et de l'espérance. Je l'ai signalé plus haut, il y avait dans la société

rurale un grand intérêt pour les semailles et les mois-
sons. Les saisons étaient célébrées par les quatre-temps,
pratique que l'on retrouve à Naples au 7e et 8e siècle, en
Gaule au 8e, en Espagne au 11e.

S'il y a une fête de la Saint-Hubert pour les chasseurs,
pourquoi n'y aurait-il pas pour les paroisses le long du
fleuve une fête de l'arrivée et du départ des oies, de la
montaison du saumon, de la migration des anguilles. Il
pourrait y avoir une année de l'eau (nous sommes déjà
dans une situation où les pauvres des pays en voie de
développement manquent d'eau potable). Pourquoi pas
une année de l'air et de l'Esprit, une année de l'arbre ?

Naturellement, ces suggestions soulèvent des questions théologiques. Dans la théologie trinitaire la création est l'œuvre du Père, la rédemption l'œuvre du Fils,
la sanctification l'œuvre de l'Esprit. La liturgie étant par
excellence l'action du Christ, c'est donc l'œuvre du salut
qui est d'abord célébrée.

> C'est donc à juste titre que la liturgie est considérée comme
> l'exercice de la fonction sacerdotale de Jésus-Christ, exer-
> cice dans lequel la sanctification de l'homme est signifiée
> par des signes sensibles [...] (Vatican II, *Constitution sur la
> sainte liturgie*, 7)

On ne peut pas revenir à l'avant-réforme, au temps où
le culte des saints et les dévotions encombraient le temps
et l'espace liturgiques, au temps où, les jours de semaine,
on ne célébrait que la messe des morts, en noir. Mais il
faut reconnaître au Christ ressuscité la plénitude de sa
victoire sur la mort et l'extension cosmique de son œuvre.
Je pense au Christ Pentocrator de la tradition chrétienne
orientale. Je pense à la théologie de Bonaventure qui
voyait l'incarnation comme l'achèvement de la création.

«La création tout entière crie sa souffrance, elle passe par les douleurs d'un enfantement qui dure encore» (Rm 8, 22; traduction liturgique). J'aime ce relent d'animisme chez Paul qui traite la création un peu comme une personne.

Si vous allez à Barcelone, il faut visiter l'église de la Sagrada Familia d'Antonio Gaudi. Il y a là une explosion de joie et de beauté avec l'évocation incessante de la création, notamment de fruits et de motifs aquatiques. C'est tout à fait la transfiguration de la création. Quand nous aurons retrouvé et célébré la beauté et la fragilité de la création, nous apprendrons à rendre grâce pour un tel don et, peut-être, redeviendrons-nous un peu plus responsables dans nos actions.

Chapitre 6

LUTTE POLITIQUE ET ÉTHIQUE DE LA MODÉRATION

A U PLAN SOCIOLOGIQUE, une religion remplit quatre fonctions. Elle propose une vision du monde et du bonheur, un contenu de foi et des objets de croyance. Elle définit un espace qui permet à des adhérents de se socialiser et d'établir des liens plus ou moins intenses d'amitié et d'assistance. Elle met en place des rites et des prières qui permettent aux fidèles de symboliser leur relation à la divinité. Elle suggère enfin des règles de conduite et définit ce qu'on peut appeler une morale. Dans la pastorale de l'Église, l'enseignement moral a toujours occupé une place importante. L'enseignement moral a deux aspects : l'incitation au bien et la réprobation du mal. Dans le christianisme, l'incitation à faire le bien repose essentiellement sur le devoir d'aimer Dieu de tout son cœur et son prochain comme soi-même et d'être soucieux de justice. L'hymne à la charité de saint Paul (1Co 13) demeure un sommet à cet égard.

La réprobation du mal pose la question de la tolérance et de l'intolérance à l'égard des pécheurs. On peut dire que la grande surprise de l'Église primitive a été de constater la permanence du mal en son sein. La première Église est une Église de saints, de purs, de convertis. Mais très tôt on constate des défaillances chez certains croyants. Faut-il les expulser ou leur pardonner ? La réponse pastorale sera celle du pardon à travers un processus d'abord public, puis de plus en plus privé de réconciliation des pécheurs que l'on appelle le sacrement de pénitence. L'abandon quasiment complet du sacrement de pénitence par les fidèles d'aujourd'hui témoigne de la dérive qu'a prise la pastorale de la pénitence durant les siècles. Au lieu d'être une incitation à faire le bien, l'enseignement moral a abouti au manuel du confesseur qui ne s'attache qu'à la faute et à l'interdit. L'interdit sexuel a fini par prendre une place démesurée, démesure favorisée par le pouvoir clérical et le célibat imposé aux ministres.

Dans la crise écologique actuelle, il faut prendre garde que la pastorale centrée sur l'environnement ne conduise pas à une nouvelle culpabilisation de la conscience chrétienne. La dénonciation écologiste qui cherche toujours des coupables va en ce sens, de même que certaines tendances en éducation de l'environnement. Il suffit de voir de jeunes enfants faire la leçon à leurs parents et leur dire ce qui est bien et ce qui est mal pour comprendre qu'il existe un risque de dérive.

Dans la mise en œuvre d'une pastorale de l'environnement, je ne suis pas partisan d'une dénonciation des nouvelles formes du mal. Je pense qu'il est plus sage d'inciter à faire le bien, à agir positivement, de façon plus responsable.

À proprement parler, il n'y a pas d'éthique chrétienne de l'environnement. L'éthique chrétienne traditionnelle est toute inscrite dans l'intersubjectivité des rapports que nous avons avec Dieu et les autres humains. La morale du Décalogue (les dix paroles) se résume en deux tables : l'une se rapporte à Dieu, l'autre se rapporte à autrui.

L'univers biblique ne soupçonne pas qu'il puisse y avoir une crise écologique. Le milieu écologique va de soi. C'est le défi de notre génération de faire émerger une éthique de l'environnement qui prenne racine dans la création comme don de Dieu et dans le contrôle de soi-même. Si nous savons maîtriser la nature, il nous faut apprendre à maîtriser notre propre maîtrise (Beauchamp, 1993). Dans ce défi, l'autre est toujours convoqué, car tous les humains sont finalement habitants d'une même terre.

J'ai résumé préalablement la crise écologique en quatre bombes : croissance démographique, pollution, consommation, inégalité. Parlant de l'Église d'ici, la lutte à la croissance démographique ne nous concerne pas beaucoup bien qu'elle soit parfois évoquée dans les politiques d'immigration. La lutte à la pollution concerne l'individu et surtout l'autorité politique. La lutte à la consommation constitue notre principal défi. La lutte pour l'équité et la justice nous concerne également, mais se présente davantage sous l'angle de la politique.

J'axerai donc le présent chapitre sur deux questions : l'engagement politique en environnement et surtout la lutte à la consommation.

L'engagement politique chrétien en environnement

La question écologique est essentiellement politique bien avant d'être éthique ou morale. La raison m'en semble évidente. C'est que la crise écologique est essentiellement le résultat du progrès scientifique et technique, de la capacité technicienne à transformer le milieu écologique pour – supposément ou idéalement – le mettre au service des humains. Or cette puissance de transformation n'a pas de frein en elle-même. Elle est essentiellement ouverte à des transformations incessantes et à l'accélération. C'est un moteur qui tend à s'emballer. Plus on innove, plus on devient capable d'innover. L'intervalle entre la découverte scientifique ou technique et sa mise en application devient de plus en plus court. On le voit bien actuellement dans le domaine de l'informatique où les nouveaux logiciels et progiciels sont dépassés avant même d'être commercialisés. Il en va de même en médecine et dans tous les secteurs de pointe. Quand on est jeune, on est attiré par la nouveauté, une nouveauté à laquelle on s'adapte spontanément puisque cela nous procure une avance sur nos parents. C'est ce phénomène qu'a analysé Margaret Mead quand elle a parlé des cultures postfiguratives (axées sur la tradition et le passé) et les cultures préfiguratives (axées sur l'innovation et le futur). En vieillissant, on a l'impression que les choses vont se tasser et ralentir, qu'on va entrer dans une certaine stabilité. Mais ce n'est pas vrai, car l'accélération continue. Le rythme ne ralentit que s'il survient un événement majeur : une guerre, une révolution, une catastrophe écologique, une grave crise économique. En fait, la guerre est plutôt un facteur d'accélération puisque l'appareil industrialo-militaire pousse à bout la recherche pour devancer l'ennemi. Hitler a failli mettre au point la bombe atomique avant les Américains.

Laissée à elle-même, la logique du système technicien mène nécessairement à l'effondrement. Jacques Ellul et Jared Diamond ont bien vu le phénomène et ils l'ont analysé d'un point de vue différent. En fait, le mouvement d'accélération pourrait se poursuivre indéfiniment si nous étions dans un système ouvert. Mais nous sommes dans un univers fini, le système Terre. Il ne peut y avoir de développement indéfini (je n'ose écrire infini) dans un univers fini. La limite est celle du système. Chacun sait que nous n'avons pas de planète de rechange. C'est la métaphore du 29ᵉ jour.

Admettons que la science n'ait pas de limites en elle-même. Cela ne détruit pas pour autant l'écosystème. Ce qui amène la réunion des quatre bombes, c'est la mise en opération de la science et de la technique par le système économique. La production moderne exige énormément de capital accumulé pour se mettre en œuvre, mais une fois en action, la logique la pousse à se développer. Il faut produire plus pour rentabiliser le capital d'une part, faire des profits et dégager ainsi un capital supplémentaire qui permet de recommencer le cycle ; à l'infini ou presque. Quand Marx a analysé le phénomène, il a prédit des crises cycliques : à un moment donné, il y a surproduction, le marché se sature, l'offre dépasse la demande et en conséquence, le marché s'effondre. C'est la crise, celle des années trente ou l'actuelle, qui pourrait bien faire s'écrouler l'empire américain.

En pratique toutefois, la crise n'entrave pas la production à long terme. Les entreprises les moins « performantes » font faillite. Il y a concentration du capital, puis restructuration et le système repart. En 1987, le rapport Brundtland affirmait : « Depuis un siècle, la production industrielle a été multipliée par 50, et les 4/5 de cette progression sont intervenus après 1950 » (CMED, 1988, p. 5). Depuis vingt ans, le rythme n'a pas ralenti. L'économie s'est mondialisée, les marchés se sont ouverts et l'économie échappe maintenant largement au pouvoir des États territoriaux que nous connaissons. Plusieurs observateurs constatent aujourd'hui que les grands acteurs économiques ne s'insèrent pas dans les sociétés où ils opèrent. Ils les surplombent et n'hésiteront pas à aller s'établir dans une autre région, un autre pays ou un autre continent si leur rentabilité s'améliore ou si le marché prend de l'expansion. L'économie prétend être un service de la société, comme s'il y avait un contrat implicite entre une entreprise et le milieu qui l'a vu naître. Mais cela est un peu illusoire, car la logique entrepreneuriale fonctionne autrement. Pour prendre un exemple banal, Alcan (Aluminium Canada) a fait ses sous au Québec. Mais elle est maintenant intégrée à Rio Tinto et elle ira s'installer en Chine ou en Amérique du Sud si la conjoncture l'exige.

Cela n'est pas de l'ordre de l'éthique, mais de l'ordre du système. Ce n'est pas lié aux convictions et aux conduites individuelles des dirigeants quoique, depuis dix ans, nous ayons connu des malversations éhontées. Cela est dû à la logique du système.

Il en va tout à fait de même pour la question écologique. La science économique est incapable de penser le vivant, d'abord pour des raisons de temps. Les prédictions économiques sont à court terme, souvent autour de dix ans, parfois vingt-cinq ans ou quarante ans pour les infrastructures publiques, par exemple, dans le cas des routes, des ports, des aqueducs. Or l'écosystème fonctionne à long terme. Il suffit de penser à la morue, au thon, à la baleine, à la forêt boréale, à la grande forêt équatoriale. L'économie considère l'écosystème comme une ressource à exploiter dans une perspective à court terme : celle du rendement du capital. La perspective est financière.

Le rythme du cosmos n'a rien à faire avec le temps humain. Treize à quinze milliards d'années pour le Big Bang, 4,5 milliards d'années pour la terre, 3,5 milliards d'années pour la vie sur terre, quelques millions d'années pour la lignée Homo et ainsi de suite. On dit que les

Amérindiens essaient de penser sur sept générations, ce qui pourrait correspondre au temps de la mémoire orale dans une société qui ne connaît pas l'écriture. Le temps d'aujourd'hui passe infiniment plus vite pour nous que pour nos ancêtres à cause de l'innovation accélérée. Mais, psychologiquement, nous ne sommes plus capables d'envisager le long terme. Comme disait Tofler, tout est neuf, tout est éphémère et très souvent, les gens pensent qu'il est inutile de savoir ce qui s'est passé avant eux.

Rien n'est pensé à long terme et surtout pas l'économie. J'ai évoqué les ruptures de stock dans les pêcheries. Le cas est de plus en plus patent dans l'agriculture productiviste. Alors que l'agriculture traditionnelle avait instauré un système durable d'exploitation, l'agriculture actuelle ne vise que le court terme et prend une gageure sur les innovations à venir. Le développement rapide des cultures transgéniques donne à penser que le souci réel n'est pas de donner à manger à tous, surtout aux plus pauvres, mais à mettre en place un marché des semences complètement captif. L'agriculture est alors détournée de ses fins et devient uniquement une source de profits pour un nombre très restreint d'investisseurs. L'exemple patent de cet enfermement dans le court terme est le pétrole qui est une ressource encore abondante mais limitée et non renouvelable. L'exploitation des sables bitumineux en Alberta est vraisemblablement une des pires catastrophes de l'heure et on a nettement l'impression que ceux qui la font se dépêchent pour finir au plus vite avant que l'État n'intervienne, ou que la résistance sociale ne devienne trop vive. C'est une course contre la montre, mais il y a bien des chances qu'une large partie de la forêt albertaine aura été sacrifiée avant qu'on arrête le massacre. Pour le moment, à Calgary, c'est le boom économique. Dans vingt ans, il y aura vraisemblement une grave crise de l'eau. C'est pour toutes ces raisons que la question écologique est d'abord et avant tout une question politique. Ni le système technicien ni le système économique ne sont capables, par leur propre logique, de ralentir le rythme et de tenir compte des sociétés et de l'environnement. Il n'y a que l'État (qui seul possède la violence légitime à cette fin) et la loi pour les contraindre à respecter des limites et les obliger à internaliser les coûts sociaux et environnementaux du « développement ».

Prenons un exemple ancien. En 1948, la revue *Relations* publiait un article fouillé sur les risques industriels associés à l'amiante. Les propriétaires de la mine, une famille irlandaise catholique pratiquante, nièrent catégoriquement qu'elle comportait des risques. Mettant en évidence de légères inexactitudes dans le dossier publié, ils menacèrent les jésuites de poursuites judiciaires. Le provincial des jésuites eut peur. La revue se rétracta et toute l'équipe démissionna. Soixante ans plus tard, nous savons que l'article disait vrai, que les risques industriels étaient importants et lourds. L'amiante est maintenant interdite. Il a fallu de longues études pour montrer ses effets sur la santé. Devant le poids des faits, l'État dut intervenir, faire des lois, imposer des mesures de sécurité et des contraintes sévères tant au point de vue de la santé que de l'environnement. Les propriétaires de la mine n'étaient probablement pas plus méchants que leurs concurrents. Mais ils ne pouvaient pas même imaginer qu'on puisse, je ne dis pas mettre en doute leur bonne foi, mais démontrer que le système sociotechnique dont ils étaient les promoteurs et les défenseurs entraînait des effets néfastes qui se traduisaient par des coûts cachés (en santé pour les travailleurs, en coûts médicaux pour la société) non comptabilisés. En fait, ces coûts cachés, ou ignorés, sont refilés à la société et la plupart du temps à la génération suivante. Les questions écologiques concernent toujours la justice, étant donné que le patrimoine est en jeu.

La réaction fut la même quand Rachel Carson publia son fameux livre *The Silent Spring* (*Le printemps silencieux*). Il démontrait les effets pervers de la pollution à long terme, notamment celui du DDT, cet insecticide miracle. Ce fut la même chose encore quand émergèrent la question des pluies acides, celle de la destruction de la couche d'ozone et celle des changements climatiques. Les gens en place ne peuvent concevoir que le système ait des ratés et des effets pervers. Alors interviennent les tactiques de diversion. La preuve étant toujours sujette à caution, on fera ressortir les incertitudes, on attaquera la solidité de la démonstration, on demandera de nouvelles études, etc. On fera entrevoir une catastrophe économique et sociale si telle ou telle opération devait cesser. Certaines entreprises plus dures intentent des poursuites judiciaires aux militants écologistes (on appelle cette technique SLAPP – *Strategic Lawsuit against Public Participation*) pour les faire taire. Une grande entreprise minière poursuit actuellement un petit éditeur de Québec. L'histoire se répète. Le problème ne disparaîtra que lorsque l'État établira des règlements et des contrôles ou que la pression de l'opinion publique deviendra si lourde que les coûts de tous genres deviendront prohibitifs. Dans les deux cas, le processus est politique.

Je dois dire que, depuis quarante ans, le monde industriel a fait des progrès gigantesques et que l'environnement est de plus en plus pris en compte au moment de l'élaboration des projets. La culture sur ce point a changé. Mais cela n'a été possible qu'après Stockholm, c'est-à-dire après la dénonciation publique de la pollution et l'imposition par les États de lois et de règlements sur l'environnement.

L'avancée la plus significative a sans doute été la mise sur pied de processus d'évaluation et d'examen des impacts. Tout projet d'envergure est susceptible de modifier durablement l'environnement social et biophysique. Un promoteur a donc l'obligation de procéder à une étude d'impacts avant de réaliser son projet, d'en démontrer la pertinence, d'en évaluer les conséquences possibles et d'en corriger les effets à long terme. Il est parfois préférable qu'un projet n'ait pas lieu. Ce genre de procédure a obligé les promoteurs à penser à plus long terme et à intégrer l'analyse environnementale dans l'élaboration de leur projet. Au Québec, l'utilisation de cette procédure, avec le recours à l'audience publique sous l'égide du Bureau d'audiences publiques sur l'environnement (BAPE), a en trente ans complètement changé la culture d'entreprise de notre milieu. Mais les victoires ne sont jamais définitives.

Le nouveau problème auquel nous faisons face actuellement consiste dans le fait que l'État, tel que nous le connaissons, n'a d'autorité que sur un territoire très limité alors que l'économie s'est mondialisée et que les problèmes sont à l'échelle de la planète. L'économie déborde constamment les juridictions des États. Il s'ensuit que l'État local et territorial (l'État westphalien) a de moins en moins de prise sur les problèmes écologiques majeurs de notre époque, comme les changements climatiques, la protection des océans et des ressources marines, la protection des espèces menacées, etc. Il y a par bonheur de grandes conventions internationales, surtout dans la foulée de Rio, par exemple le Protocole de Montréal sur la couche d'ozone, la Convention sur la biodiversité et le Protocole de Kyoto sur les changements climatiques. On sait que le Canada qui avait été un leader pour la mise en place du Protocole a renié sa parole. Le lobby du pétrole a imposé sa vision et donc renvoyé à plus tard l'adoption de mesures préventives destinées à ralentir les changements climatiques. Les ententes internationales restent ainsi toujours fragiles. Il faudrait que l'on parvienne à établir une autorité mondiale dans certains secteurs. Mais les États refusent de céder certains de leurs pouvoirs et prérogatives de telle sorte que les progrès communs sont lents à venir. La cause environnementale est donc loin d'être gagnée.

Juste un exemple. La loi québécoise sur les mines donne priorité à l'exploitation minière sur tout autre usage du territoire. C'est ainsi que la ville d'Amos qui est située sur un esker d'une qualité exceptionnelle ne pourrait protéger son eau si un éventuel prospecteur décidait d'exploiter un gisement minier sur le territoire. La ville d'Amos a demandé plusieurs fois au gouvernement du Québec de modifier cette loi de type colonial. Elle n'y est pas parvenue. Mais, entre nous, malheur à la personne physique ou morale qui voudrait *claimer* l'esker d'Amos. Elle ferait face à une joyeuse tempête. Et je serais de la partie.

Au fond, à mesure que l'on progresse dans l'analyse de la crise écologique, on s'aperçoit qu'elle est plus grave, plus profonde, plus complexe qu'on ne l'avait pensé. Il faut intégrer le long terme et le court terme, le technique et le social, comprendre mieux le système du vivant. Même si les mentalités évoluent, il y a toujours une résistance sourde et lourde des milieux économiques et techniques à la mise en place de mesures préventives. C'est pourquoi la cause doit continuer d'être défendue et rester une question politique. Cela suppose un état de vigilance et de lutte, des combats, des débats publics et souvent l'intervention musclée de l'État.

Au plan pastoral, il est donc essentiel que l'Église reste vigilante et incite ses fidèles à s'engager activement dans certaines luttes écologiques. D'abord, il faut suivre et appuyer les grands forums internationaux. Ensuite, il faut de la part des épiscopats québécois et canadien des interventions fermes sur certaines grandes questions de l'heure : eau, changements climatiques, agriculture, espèces menacées, politique énergétique, etc. La tradition des trente dernières années sur les questions sociales doit se continuer même s'il y a controverse et même si les intérêts des régions peuvent diverger. La hiérarchie de l'Église doit éveiller la conscience des fidèles et les garder alertes même si cela peut entraîner des malaises et des controverses. Le rôle de l'Église est d'analyser les décisions à partir du point de vue des personnes appauvries, des plus faibles. Il est également nécessaire, dans une conversion écologique, d'analyser les décisions du point de vue de la communauté biotique, dans une perspective à long terme.

Par ailleurs, au plan de l'action, il est essentiel que des militants s'engagent avec d'autres dans les luttes concrètes. Ici, il ne doit pas y avoir de barrières entre les confessions. L'action doit être œcuménique, interreligieuse ou carrément laïque sans référence aux croyances religieuses, selon le cas.

Pour une éthique de la modération

Des quatre bombes évoquées plus haut, la bombe C ou consommation est probablement la plus pernicieuse et la plus lourde. Traditionnellement, les riches vivaient dans le luxe, le faste, l'opulence, et les pauvres vivaient dans la misère. L'âge industriel a, sur ce point, tenu une gageure presque impossible : démocratiser le confort. La notion de confort est assez récente, car elle suppose une maîtrise assez poussée de l'environnement. Louis XIV a connu le luxe, un luxe inouï. Mais pour le confort, je ne suis pas sûr. Son château était mal chauffé, mal isolé, sans eau courante, sans électricité. Bien sûr, s'il avait froid, il y avait toujours une femme prête à le réchauffer. Le bon roi David connaissait déjà la technique. À remarquer qu'il n'est jamais question d'une reine qui a froid ! Mais blague à part, le confort n'était pas beaucoup au rendez-vous. Il n'y avait pas d'électricité au chalet familial lorsque j'y allais l'été. On s'éclairait à la lampe Aladdin. Autant dire qu'on ne se couchait pas tard. Aujourd'hui à 23 heures, 2 heures ou 4 heures, il suffit de tourner la lampe au-dessus du lit et toute la clarté est là. Même chose pour la musique, voire la télé.

Il est ahurissant de voir à quel point la vie a changé depuis 100 ans, la vie domestique, la vie privée. La vie d'autrefois était marquée au coin de la pénurie, de la difficulté.

J'ai soixante-dix ans. Je suis chanceux car mes parents et mes grands-parents n'ont pas vécu jusqu'à mon âge, sauf ma grand-mère paternelle (Marie-Anna Geoffrion). J'ai vécu dans un milieu ouvrier modeste à Montréal (Villeray). Mon père était instituteur et même si nous étions huit enfants à la maison, nous étions plutôt à l'aise. Nous avions un grand logement comprenant une cuisine, une chambre pour quatre filles, la chambre de mes parents, une salle double qui servait de salon et de chambre à deux autres de mes sœurs. Enfin, la chambre des garçons, celle de mon frère et de moi-même. La maison était bien chauffée mais mal isolée, de sorte que l'hiver, il y avait de la glace sur les tringles. Pour nous c'était normal. Aujourd'hui, nous ferions venir les journalistes pour dénoncer la situation.

À vrai dire, nous étions plutôt fortunés puisque nous avions une auto et un chalet (sans eau courante ni électricité) où nous passions nos étés. Les vêtements n'étaient jamais jetés mais toujours recyclés. Les habits du père servaient aux garçons (ma mère était couturière), les manteaux étaient convertis en « confortables » puis en tapis. L'hiver, on suspendait la lessive sur la corde à linge à l'extérieur. Tout cela rentrait gelé raide et finissait de sécher sur un réseau de cordes intérieures qui dégageaient humidité et odeur de savon. Ma mère ne jetait jamais rien, jamais un morceau de pain, la « nourriture du Bon Dieu ». On ramassait les croûtons de pain pour faire de la bagatelle ou du pudding au pain.

L'été, nous avions une glacière. Le vendeur passait dans la ruelle pour livrer la glace, en bloc de vingt-cinq ou de cinquante livres selon le carton que ma mère affichait dans la fenêtre. Il entrait avec ses bottes, mouillait le plancher, déposait son bloc de glace et empochait le prix convenu. Le temps de conservation des aliments était donc relativement court. Les fruits étaient très rares en hiver.

C'était un monde agréable et déjà douillet par rapport au monde antérieur. Mais cela n'avait rien à voir avec le monde d'aujourd'hui, avec les frigos et les congélateurs, les micro-ondes, les chaînes stéréophoniques, les baladeurs à disque dur, les téléphones cellulaires. Pensons simplement aux couleurs et à la fantaisie dans le monde du vêtement. Les vêtements d'autrefois étaient rares, plus ternes, souvent empesés. On pense à Trenet : « Les enfants s'ennuient le dimanche avec leur faux col et leur robe blanche. » Rappelons-nous les robes noires des femmes en Italie, en Espagne, en Grèce. Insensiblement, on s'habitue à tout, on exige tout. Je puis supporter facilement une panne d'électricité ou de téléphone pendant trois jours. Je me sens simplement plus léger, libéré. Pour un jeune, ce serait un martyre.

L'empreinte écologique

La vie d'aujourd'hui est incroyablement plus confortable que la vie d'autrefois. Pour un oui ou un non, pour quelques sous, avec un simple tour de manette, nous pouvons avoir le chaud ou le froid, le sonore ou le visuel, l'Internet au bout du monde. Vous avez faim ? Voici le filet de saumon décongelé au micro-ondes et ensuite cuit au four avec une sauce au safran. S'il manque une bouteille de vin, il y a partout un dépanneur qui offrira même des vins de cépage ou des appellations contrôlées.

L'épicerie de ma jeunesse, et même le magasin général qui possédait tout de même des trésors, n'ont rien à voir avec le marché d'alimentation d'aujourd'hui. Juste le comptoir à pain comprend parfois 20, 30 sortes de pain : français, belge, italien, grec, pita, en baguette, en petit pain, en « paire de fesses », avec blé, ou épeautre, ou multigrains, blanc ou brun. Le comptoir des biscottes et craquelins n'est pas en reste, ni celui des céréales, ni celui des barres de céréales. Je ne parle pas de produits fins dans les magasins spécialisés (foies gras, huiles d'olive de qualité, etc.) mais de produits courants accessibles au tout-venant. Bien sûr, cela a un prix, mais indubitablement, le petit peuple d'ici en voit aujourd'hui plus que le noble d'autrefois.

Merci la vie. Jamais dans l'histoire humaine on n'eût pu penser cela possible à une large échelle. Je comprends la colère des pauvres dans notre société, car cette opulence n'est pas toujours vraiment accessible. Mais en même temps, le jeune *squeegee* du coin qui lave les vitres d'auto aux feux de circulation possède un cellulaire dont il use abondamment et il peut, s'il le veut, dormir ce soir dans un lit convenable, à certaines conditions bien sûr.

Le problème écologique, c'est l'effet cumulatif de la hausse de consommation par un nombre de plus en plus élevé de consommateurs. La consommation en soi ne pose pas de problème tant qu'il y a suffisamment de ressources. Mais qu'adviendrait-il si la consommation globale dépassait les capacités de l'écosystème? Cela signifierait que nous nous en allons vers une rupture de stock, comme un rentier qui, au lieu de vivre de l'intérêt de son capital, entame ce dernier. S'il meurt assez tôt, il n'y a pas de problème. S'il vit longtemps, il sera ruiné avant l'échéance.

Je ne veux pas m'attarder sur la définition du problème. J'aimerais renvoyer le lecteur au rapport du commissaire au développement durable du Québec, Harvey Mead, qui constitue en fait le tome II du rapport du vérificateur général pour l'année 2007-2008 (Vérificateur général 2007 < www.vgq.qc.ca >). Le commissaire au développement durable a cherché à appliquer au Québec la grille d'analyse que l'on appelle l'empreinte écologique (en anglais: *global footprint network*). La méthode a pour but de déterminer la superficie de terre requise pour produire la biomasse correspondant à la consommation globale d'une population donnée. Si on compare cette donnée à la biocapacité d'un territoire, on obtient un rapport entre ce que la Terre produit et ce que les humains consomment. Au plan global de la planète, il y a déjà déséquilibre.

20.20 Actuellement, pour ce qui est de la biocapacité, les superficies disponibles sur la planète pour des activités de développement représentent environ 1,8 hectare par personne. Selon le GFN la consommation totale des populations humaines requiert quelque 2,2 hectares par personne, donc leur empreinte est plus grande que la biocapacité. Ces données correspondent à la moyenne observée, mais l'empreinte occasionnée par le niveau de vie des pays industrialisés dépasse de trois à six fois cette même biocapacité. À titre d'exemple, l'empreinte écologique du Canada est de 7,6 hectares par personne, selon les travaux du GFN. En adaptant à la réalité canadienne la version de 2001 de la méthode suggérée par cet organisme, les calculs ont aussi été faits pour l'Alberta (9,0 hectares par personne, données de 2003), pour la Nouvelle-Écosse (8,1 hectares par personne, données de 2000) et pour l'Île-du-Prince-Édouard (9,0 hectares par personne, données de 1999).

20.21 Mon évaluation de l'empreinte écologique du Québec est une première. En effet, aucune organisation infranationale n'avait jusqu'à maintenant appliqué la méthode de calcul élaborée par le GFN en utilisant les données fournies par des sources officielles provinciales. Comme il fallait s'y attendre, le résultat que j'ai obtenu indique un dépassement. Le Québec exerce une pression indue sur les ressources et sur les écosystèmes : son empreinte est de 6,0 hectares

par personne. La consommation de sa population
est par conséquent plus de trois fois supérieure à
la capacité de support de la planète, en faisant l'hypothèse que tous les êtres humains vivent comme
nous. En d'autres termes, il faudrait l'équivalent de
trois planètes comme la Terre pour soutenir un tel
mode de vie si tous les individus qui habitent celle-ci
l'adoptaient. (Vérificateur général, 2007, p. 7-8)

Il va de soi que ce genre d'analyse est périlleux puisqu'il
s'agit d'un exercice d'une rare complexité et que les données statistiques sont souvent d'une validité douteuse.
Cela nous donne tout de même une approximation
inquiétante. Au plan global, l'humanité dépasse actuellement la capacité de soutien de la Terre. Il faudrait 2,2
hectares disponibles pour chaque humain alors que la
capacité est de 1,8. Au Québec, l'empreinte est de 6,0
hectares par personne. Mais le Québec étant immense
et la population étant peu nombreuse, la disponibilité
est de 12 hectares par personne. La conclusion est donc
paradoxale. La population du Québec ne dépasse pas les
capacités de son territoire. Mais en même temps, notre
empreinte dépasse environ trois fois la capacité globale
de la planète. Si tout le monde vivait comme nous, il faudrait trois planètes Terre. Trois conclusions me semblent
s'imposer :

1) notre mode de vie n'est pas exportable partout sur
la planète même si la machine publicitaire incite le
monde entier à vivre à l'américaine ;
2) les pressions politiques se feront de plus en plus
lourdes sur le Québec pour qu'il accentue son rôle de
pourvoyeur de ressources (bois, papier, eau, produits
miniers) et de terre d'accueil pour les migrants ;

3) la seule façon de vivre de manière responsable, en tant qu'êtres humains et chrétiens, c'est de changer notre mode de vie et de diminuer notre consommation.

En 1992, à Rio, le président des États-Unis, George Bush père, a déclaré que le mode de vie des Américains n'était pas négociable. C'est le contraire qu'il faut dire. Il nous faut changer de mode de vie et inventer des façons de vivre, de fêter, d'avoir du plaisir et de consommer moins dommageables pour la planète. Ici, l'enjeu n'est pas d'abord politique, mais éthique et culturel puisque c'est chaque personne qui inventera une nouvelle manière de vivre sa vie.

Misère, pauvreté et simplicité de vie

Traditionnellement dans l'Église, on parle assez peu de simplicité de vie. On parle volontiers de pauvreté à cause du traditionnel vœu de pauvreté (associé à la chasteté et à l'obéissance dans la vie religieuse) et à cause aussi de l'héritage biblique des pauvres de Yahvé.

On pourrait définir la misère comme l'absence des biens essentiels à la vie : la nourriture, le vêtement, un lieu où dormir, etc. Une personne dans la misère manque de choses essentielles. C'est en un sens un concept absolu.

La pauvreté, pour sa part, est davantage un concept social. Tout miséreux est pauvre, mais tout pauvre n'est pas miséreux. On est pauvre face à un riche. La pauvreté est un état d'infériorité sociale, qu'il s'agisse d'argent, de biens disponibles, d'instruction, d'appartenance à une classe sociale, de chance de promotion dans la société. On est pauvre face à un riche qui fait étalage de sa richesse et fait sentir au pauvre son état d'infériorité. Au Canada, on tend à définir le seuil de pauvreté à partir d'un niveau économique. En 2006, Statistique Canada établissait le seuil de faible revenu pour une personne seule vivant dans une grande ville à 21 202 dollars par année. En Haïti ou aux Antilles, cette personne serait riche. Le paradoxe de la pauvreté, c'est qu'elle ne se résorbe pas malgré l'enrichissement relatif des pauvres puisque l'on hausse chaque année le seuil de la pauvreté. Il y a là un paradoxe : c'est la richesse qui fait la pauvreté. La richesse des uns qui font sentir aux autres leur infériorité sociale.

Dans la Bible, les pauvres sont d'abord la veuve et l'orphelin, les estropiés, les malades, les émigrés. La veuve n'a plus de mari pour la protéger et devient vite la victime des autres, de même pour l'orphelin. La veuve de notre société c'est la mère monoparentale. Le mari ou le conjoint de fait a fui et trouve toutes sortes de stratagèmes pour ne pas payer la pension alimentaire. La mère monoparentale survit parfois dans les mille tracasseries de la vie (parfois dans la violence et la peur), en portant toujours le poids de la responsabilité parentale. Sans moments de relâche, sauf de temps en temps quand le carrefour populaire ou une œuvre sociale du coin lui donne la chance de s'évader pour un cours, une formation, deux jours de vacances.

Il existe dans les Évangiles une béatitude pour les pauvres. Luc dit : « Heureux, vous les pauvres. Le Royaume des cieux est à vous » (Lc 6, 20). Luc semble viser les pauvres tout court, les pauvres au sens économique du terme. Luc est assez dur envers l'argent et il estime que le pauvre n'a que Dieu pour tout secours. Sa sécurité ne repose pas sur autre chose.

Matthieu, pour sa part, parle du pauvre en esprit (Mt 5, 3). Sa conception est plus morale et laisse entendre qu'on peut avoir des biens et rester pauvre de cœur, en esprit ou à l'inverse être dans une situation économique précaire et être avide d'argent et de biens. Nous le constatons chaque jour. C'est pourquoi une conception strictement économique de la pauvreté est inadéquate. L'antidote à la pauvreté n'est pas la richesse mais l'équité. Notre société crée la pauvreté au même rythme que la richesse, car les riches tendent à montrer leur pouvoir. Le pauvre est celui qui n'a pas de contrôle sur sa vie. Il vit au jour le jour et n'a pas de prise sur son devenir. C'est en ce sens un être aliéné, privé d'une partie de lui-même. Or, le propre de notre société de consommation est d'exaspérer le désir sous la forme de la séduction. D'où le matraquage incessant de la publicité et le recours de plus en plus fréquent au crédit. C'est littéralement la consommation qui nous fait exister et nous confère le statut de citoyen. En ce sens, le centre commercial est devenu par excellence le lieu symbolique de notre société. C'est un temple immense avec un déambulatoire, des allées, des lieux de convergence, des puits de lumière, un saint des saints. C'est un lieu véritablement sacré. On ne va pas toujours au centre commercial pour acheter. On y va pour y être vu, on y va surtout parce qu'alors on pénètre au plus profond de ce qui fait notre appartenance sociale.

Après la guerre de 1939-1945, tout au long des Trente Glorieuses qui ont marqué l'entrée dans la consommation de masse, sous l'effet de la menace marxiste, les sociétés occidentales ont mis sur pied des mesures de sécurité sociale très imposantes. Les écarts se sont réduits entre les riches et les pauvres. Depuis l'effondrement de l'URSS et du socialisme, nous assistons à la revanche des riches. Éloge du profit et de la richesse, accentuation des écarts, mesures d'impôt et dégrèvements favorisant les plus riches, etc. La course au profit et au plus grand profit possible sans autre considération est devenue la règle. D'où les scandales nombreux qui pourraient n'être que la pointe de l'iceberg.

Je disais précédemment que l'antidote à la pauvreté est l'équité. L'équité n'est pas l'égalité. L'égalité absolue est impossible et vraisemblablement contreproductive, car elle encourage la médiocrité. Comme le chante Guy Béart avec un brin de malice, parodiant l'Évangile :

Les premiers seront les derniers
Les derniers, derniers quand même
Les premiers seront les derniers
Où sont passés les premiers ? (*Les proverbes d'aujourd'hui*)

Pour le philosophe John Rawls, les inégalités sont acceptables dans une société lorsqu'elles profitent à tous et que les positions sociales avantageuses sont accessibles à tous. Dans la pratique, nous voyons plutôt le contraire : le riche s'enrichit de plus en plus et le monde des riches se ferme et bloque l'accès social aux classes moins favorisées. La mobilité sociale se change en oligarchie.

Si spirituellement, la pauvreté est une bénédiction, socialement, elle est plutôt une malédiction. Spirituellement, la pauvreté est l'attitude qui consiste à se démettre de soi pour s'en remettre à Dieu. C'est une métaphore. De toute manière, la tradition biblique ne se complaît ni dans la misère ni la pauvreté. Elle souhaite plutôt la vie en abondance pour chacun. Sur ce point, je ne suis pas sûr que le vœu de pauvreté soit bien nommé. Le religieux vit modestement, parfois très modestement dans une vie relativement austère et dépouillée, surtout dans les ordres contemplatifs et dans les communautés de femmes. Par ailleurs, l'individu ne connaît pas la précarité tout à fait typique de l'état réel de pauvreté. Le religieux troque un certain confort et son ambition sociale contre la garantie d'une relative sécurité.

La misère est un mal absolu. La pauvreté est un phénomène social que l'on doit également combattre. Ceux et celles qui font l'éloge de la pauvreté, au plan mystique, évoquent en général des raisons ascétiques, disciplinaires et caritatives. On est pauvre pour s'associer à la passion du Christ, pour apprendre à maîtriser ses passions, pour pouvoir partager avec les pauvres. Dans les Évangiles et les écrits du Nouveau Testament, il y a une dénonciation farouche de l'amour de l'argent, du luxe ostentatoire, de la frivolité, de la gourmandise et de l'ivrognerie. Il y a notamment chez Paul une invitation à une éthique du provisoire, à user du monde comme si on n'en usait pas, à ne pas s'attarder aux convoitises puisque, de toute façon, la Terre n'est pas la patrie et que la figure de ce monde passe.

Il est assez surprenant à cet égard que les sociétés de tradition chrétienne soient devenues les sociétés riches et que ce soit chez elles que la mystique de la consommation s'est installée. Probablement que l'analyse de Weber sur la richesse comme signe de la prédestination, notamment dans le calvinisme, garde sa pertinence. Mais la tradition calviniste, si elle valorisait la richesse en elle-même, faisait aussi la promotion d'une conduite personnelle austère dans une éthique très stricte du devoir et du travail. La tradition catholique à cet égard semblait plus portée sur la consommation et moins sur la thésaurisation. Il faudrait ici des études approfondies en ce sens. J'aurais tendance à voir dans cette boulimie de consommation un phénomène de compensation à l'égard de la répression sexuelle et du cléricalisme dans l'Église catholique après le concile de Trente.

À mesure qu'il apparaît que l'idéologie de la consommation devient la menace la plus sérieuse pour le devenir écologique de la planète, le thème de la pauvreté doit s'élargir dans le sens de la modestie de vie et de ce que l'on appelle maintenant la simplicité volontaire. Depuis une trentaine d'années, la réflexion sur la qualité de la vie, le style de vie ou le mode de vie nous oriente en ce sens. Ce thème devrait devenir un axe majeur de l'action pastorale.

La simplicité volontaire, une option prophétique

Le mouvement dit de la simplicité volontaire fait de plus en plus d'adeptes au Québec. Il s'agit à la fois d'une protestation contre la société de consommation et d'une exploration d'une autre manière de vivre. Ce n'est pas d'abord une attitude ascétique. C'est plutôt un ras-le-bol, un état d'exaspération face à une pulsion absurde qui dévore celui qui y cède. « L'ascète se prive volontairement des plaisirs de la vie matérielle dans la recherche d'une vie spirituelle plus intense ; l'adepte de la simplicité volontaire ne fuit pas le plaisir ou la satisfaction, au contraire puisqu'il cherche à s'épanouir pleinement, mais il a compris qu'il ne peut y arriver par les voies que lui offre la société de consommation » (Mongeau, 1998, p. 237).

Les occasions d'entrer dans la simplicité volontaire sont nombreuses. Parfois il s'agit d'un échec ou d'un malheur qui oblige à changer son mode de vie : une faillite, une perte d'emploi, une maladie. Du jour au lendemain, il faut restreindre son train de vie et apprendre à vivre heureux autrement. Au départ, ce n'est ni simple ni tout à fait volontaire, mais le déclic se fait.

Souvent l'échec est plus profond. Je pense à un divorce ou à un épuisement professionnel. On est jeune. On s'achète une maison trop chère en se disant qu'on va se serrer la ceinture pendant quelques années. Au travail, on fait donc des heures supplémentaires. On augmente la cadence. La frustration apparaît et on compense par une consommation d'alcool ou de nourriture. Le stress augmente au sein du couple. On n'a pas le temps de parler au conjoint, à la conjointe, aux enfants. La crise se nourrit d'elle-même. Taux hypothécaire excessif, consolidation de dettes, surtravail, stress à la hausse. Quand l'échec arrive, on se pose des questions. À quoi sert d'acheter des livres qu'on n'a pas le temps de lire, des disques qu'on n'a pas le temps d'écouter? La vie passe et on ne la voit pas. Comme le dit Matthieu: «Que servira-t-il donc à l'homme de gagner le monde entier, s'il ruine sa propre vie? Ou que pourra donner l'homme en échange de sa propre vie?» (Mt 16, 26).

La simplicité volontaire est un effort systématique de réflexion, d'analyse, d'organisation de sa vie, seul et avec d'autres, pour sortir de la société de consommation. Beaucoup en arrivent à volontairement travailler moins et à gagner moins. À cesser d'utiliser une auto pour pratiquer la marche ou le vélo, à s'installer dans un logement plus petit et moins coûteux. «Payer 10 $ de moins pour un article en solde équivaut à gagner 10 $ par son travail. Économiser, c'est travailler»» (Boisvert, 2005, p. 38)

Le mouvement de la simplicité volontaire est une mouvance plus qu'un mouvement. Il est donc traversé de courants d'idées et de stratégies diverses. On y trouve toujours une protestation contre le consumérisme et un désir de briser l'emprise de la consommation sur notre vie. Et pour cela, il faut déconstruire cette dernière, non seulement par des actions extérieures, mais aussi par un travail intérieur sur soi et sur ses propres représentations mentales.

On comprend ici que la motivation écologiste est fort importante. Si collectivement l'humanité dépasse la capacité portante de la planète, si nous les Québécois dépassons trois fois ce seuil, la simplicité volontaire devient nécessaire.

L'autre motivation est liée à l'équité. C'est le thème du commerce équitable. La perspective est souvent altermondialiste. Payer aux producteurs étrangers le juste prix pour leurs produits (café, thé, riz, etc.). Et pour cela favoriser des filières de coopération même s'il faut payer un peu plus pour les produits achetés. On préférera également les circuits courts de consommation, les marchés de proximité, etc. La lutte contre la consommation (bombe C) et la lutte contre l'inéquité (bombe I) sont toujours liées entre elles.

Les motivations religieuses viennent se greffer tout naturellement à ces considérations. L'argument proprement ascétique, mais aussi le recours à la prière et aux exercices spirituels, la volonté de solidarité et de partage dans une optique de charité.

Dans certains milieux, on parle de stopper la croissance et même d'entrer dans la décroissance. Il ne s'agit pas ici de bloquer brutalement le système, ce qui provoquerait une crise économique brutale. Mais il s'agit d'amorcer une recherche vers d'autres modes de bien-être qui respecteraient les capacités et les limites du milieu écologique (voir Latouche, 2006).

Il est intéressant ici de rappeler la figure de François d'Assise. Fils d'un riche marchand, dans une économie prospère, François à l'âge de 25 ans décide de rompre avec son milieu. Dans la cathédrale, il se défait de ses riches vêtements et décide d'épouser Dame Pauvreté. Le plus beau de l'affaire, c'est qu'il tient promesse. Il sera important que se lèvent en notre Église des personnes opposées à la croissance capables d'assumer la simplicité volontaire et d'associer l'identité chrétienne à celle-ci.

Chapitre 7

POUR UNE COHÉRENCE INTERNE

E N SUPPOSANT QUE L'ÉGLISE d'ici prenne une véritable
option écologique, elle devra se poser la question
de sa cohérence interne. Est-ce que ses orientations, ses
directives, sa conduite à l'interne sont conformes à la
doctrine professée ? Au terme d'une session de formation
sur l'environnement où j'avais évoqué les quatre bombes,
la supérieure d'une communauté religieuse féminine
m'avait signalé : en ce qui concerne la bombe D (démographique), nous sommes impeccables. Leur réflexion avait
porté sur la bombe C et avait conduit à des décisions fort
intéressantes. Une institution qui prend une option pour
l'environnement doit analyser l'ensemble de ses activités
ad intra et *ad extra* pour établir son niveau d'engagement et sa cohérence interne. Dans le cas de ce que l'on
appelle l'Église catholique du Québec, l'exercice est très
difficile. Contrairement à ce que l'on pense, l'Église est
très décentralisée. Par exemple, l'évêque de Montréal
ne peut absolument pas dire à une communauté religieuse (d'hommes ou de femmes) quoi faire en tel ou tel
domaine. Il peut conseiller, suggérer, proposer. Aucune
communauté religieuse n'est une succursale. Même une
paroisse, qui est une portion territoriale d'un diocèse,
n'est pas à proprement parler une succursale ni même

un franchisé. Bien sûr, quand il s'agit de foi ou de doctrine, l'autorité est là. Mais dans la conduite quotidienne des choses, pour les investissements, la gestion interne, l'aménagement, l'environnement et parfois même l'engagement du personnel, l'évêque n'a pas d'autorité.

Dans une entreprise, quand la présidence ou le siège social prend une décision, la décision descend suivant la ligne hiérarchique et s'impose *de facto* dans toutes les succursales. Les gens pensent que le pape à Rome décide et que tout descend sans interruption ni problème jusqu'aux fidèles de chaque paroisse. C'est très rarement le cas. Par bonheur ! À cet égard, le monde industriel est beaucoup plus encadré. Les dirigeants gèrent absolument l'entreprise, qu'elle soit aux États-Unis, au Japon ou au Chili. S'ils le veulent, les directives qu'ils formulent devront s'appliquer intégralement à chacune des divisions et unités territoriales.

Pour comprendre la performance de l'Église catholique en environnement, je me suis donc posé la question suivante : si l'Église était une entreprise cotée en bourse, aurait-elle le droit de bénéficier d'un fonds de placement éthique voué à l'environnement ? La question semble incongrue. J'ai expliqué plus haut que les entreprises ne s'intéressent pas à l'environnement, qu'elles lui sont hostiles et que la pression politique à leur endroit est toujours essentielle. Très bien. Mais cela n'est pas vrai de toutes les entreprises. Comprenant qu'il s'agit d'une question cruciale et que l'attente des populations à cet égard est très vive, d'autres entreprises ont compris le problème et pris l'attitude inverse. L'entreprise qui opte pour l'environnement jouira d'une image favorable. Au-delà de cet argument marketing, une autre réalité s'est imposée. L'entreprise qui intègre l'environnement dès l'étape de la conception de ses produits est amenée à faire des modifications à ses processus de production. Elle parvient alors souvent à des gains de productivité importants, tant au plan des intrants que des extrants. L'entreprise verte devient plus performante. L'environnement cesse d'être une contrainte et devient un atout.

C'est cette conviction qui a amené le mouvement Desjardins à créer le Fonds Desjardins Environnement. Le portefeuille du Fonds est géré par des gestionnaires de portefeuille qui n'ont aucun pouvoir sur la sélection des titres. Ces titres sont sélectionnés par un comité responsable d'examiner la performance de chaque entreprise en matière d'environnement. J'ai l'honneur de faire partie de ce comité de sélection.

Pour examiner les candidatures et statuts sur l'admissibilité des titres, le comité a établi d'abord des critères d'exclusion. Sont donc exclues *a priori* les entreprises vouées au tabac, à l'activité militaire, à l'énergie atomique. Les entreprises de ce secteur ne sont pas admises.

Pour le reste, le comité distingue deux catégories: un secteur à risques pour l'environnement (le pétrole, le transport, les mines, les pâtes et papiers, etc.) et un secteur qui ne comporte pas *a priori* de risque important. Il n'y a jamais, bien sûr, de risque nul. On comprendra que l'analyse sera plus rigoureuse et plus sévère pour les entreprises du premier secteur que pour celles du second. Bien sûr, un fonds éthique vise à donner aux investisseurs des garanties sur le sérieux que les entreprises démontrent à l'égard de l'environnement. L'investisseur éthique ne veut pas simplement faire des profits. Il se veut responsable de la façon dont une entreprise se conduit à l'égard de la société.

D'un autre côté, on peut se demander quel est l'intérêt pour une entreprise de prendre un soin particulier de l'environnement. Ne suffit-il pas de respecter la loi et les règlements en vigueur? Pour les entreprises, il y a d'abord un avantage au plan de l'image. L'environnement étant une valeur reconnue, s'y référer favorise une perception positive de la part du public. Mais la vraie raison est plus fondamentale. Une entreprise qui prend l'environnement très au sérieux ne se contentera pas de son train-train habituel. Elle réfléchira d'une manière systématique sur ses intrants et ses extrants. Elle examinera par exemple son cycle de production. Comment économiser de l'énergie, comment produire moins de déchets, comment éviter d'utiliser des substances nuisibles à l'environnement, etc. L'entreprise analysera donc tout son cycle de production de même que le cycle de vie de ses produits et services. Elle sera amenée à penser autrement son organisation et sa manière de faire. Au bout du compte, elle fera des sauts qualitatifs importants qui l'amèneront souvent à réaliser des économies substantielles. Au départ, les entreprises sont peu réceptives à l'environnement, car elles le perçoivent comme une source de tracas et de dépenses surérogatoires. L'expérience montre qu'à long terme, c'est le contraire qui arrive. L'entreprise verte est un mutant qui devance vite ses concurrents.

C'est pourquoi le comité qui sélectionne les titres doit s'interroger sur le sérieux de la prise en compte de l'environnement à tous les niveaux. L'entreprise a-t-elle une politique environnementale explicite ou l'équivalent? Qui en est responsable et à quel niveau hiérarchique? La politique s'applique-t-elle à tous les échelons de l'entreprise, ici et ailleurs? Quels sont les objectifs visés? Quels sont les résultats obtenus? L'entreprise procède-t-elle à des audits sur ses performances? Qui fait ses audits?

Les résultats sont-ils rendus publics ? Parle-t-on de l'environnement dans les rapports annuels ? Les incidents et accidents sont-ils répertoriés ? L'entreprise fait-elle l'objet de poursuites de la part du ministère de l'Environnement, de plaintes de la part de citoyens, etc. ? Bref, il ne suffit pas qu'une entreprise dise qu'elle s'intéresse à l'environnement ni même qu'elle subventionne des groupes ou des activités favorables à l'environnement. J'appelle cela de la peinture verte. On ne change rien, mais on ajoute du vert pour la parure. Mais à l'inverse, quand on prend une option sérieuse, le retentissement est considérable.

Si l'Église catholique du Québec était une entreprise cotée en bourse, je ne suis pas sûr qu'elle serait éligible à un fonds de placement éthique en environnement. L'Église n'a pas de politique claire à ce sujet. Même s'il y en avait une, on n'aurait aucune garantie de sa mise en œuvre dans les paroisses, car chaque paroisse est autonome. Bien souvent, on en est encore à l'étape de la récupération-recyclage, mais je vois bien des réunions où l'on utilise encore des gobelets en mousse de polystyrène.

À la décharge de l'institution, il faut dire qu'il y a partout une crise financière majeure et que l'entretien et le chauffage des lieux de culte représente une charge énorme. Dans les communautés religieuses par ailleurs, et particulièrement dans les communautés féminines, les choses bougent beaucoup. L'an dernier, l'ATTIR (Association des trésorières et trésoriers des institutions religieuses) a même requis les services d'un éco conseiller pour procéder à des analyses globales sur, par exemple, la consommation d'énergie, l'utilisation du papier et des encres, le transport, etc. Bref, l'éveil s'amorce mais nous sommes loin d'une politique cohérente.

Ce souci de la cohérence interne n'est pas accessoire. Il est essentiel. Il comporte aussi un aspect pédagogique important dans la mesure où les fidèles verront et apprendront dans le concret les effets dans la vie réelle des principes que nous essayons d'appliquer.

Toute option sérieuse officielle pour l'environnement exigera un examen de cohérence interne.

CONCLUSION

JE L'AI RÉPÉTÉ SOUVENT DANS LE présent volume : pour l'Église, une conversion écologique s'impose. La crise écologique est la plus importante crise éthique de notre époque. La cause environnementale est aussi le lieu d'émergence où se pose aujourd'hui la question de Dieu, de l'expérience spirituelle et de l'engagement éthique. J'ai essayé d'en faire la démonstration dans quelques secteurs : la vision du monde, la prière et la liturgie, l'option pastorale pour la justice et la simplicité de vie.

J'ai posé des questions lourdes auxquelles je n'ai apporté que des bribes de réponses. Le cadre étroit du présent essai et mes propres limites dans la recherche théologique ne me permettaient pas de faire plus. J'espère avoir simplement ouvert un domaine de recherche et d'exploration. Je ne le fais pas pour semer l'inquiétude ou pour la galerie médiatique. Je le fais parce qu'à mes yeux, dans l'impasse actuelle de l'univers religieux et de la crise postmoderne du sacré, l'environnement relance toutes les questions.

Il y a là un champ missionnaire fabuleux. C'est là que Dieu nous fait signe. Il y a une frénésie débile dans notre culture, une volonté de puissance complètement déchaînée qui nous conduit à la catastrophe. Je n'ai pas écrit ce livre pour ajouter à la peur. Je ne carbure pas à l'angoisse.

J'aimerais rappeler cette parole de Jésus à propos de la course à l'argent qu'il observait chez ses contemporains:

> Ne vous faites pas tant de souci pour votre vie, au sujet de la nourriture, ni pour votre corps, au sujet des vêtements. La vie ne vaut-elle pas plus que la nourriture et le corps plus que le vêtement? [...] Observez comment poussent les lis des champs: ils ne travaillent pas, ils ne filent pas. Or, je vous le dis, Salomon lui-même dans toute sa gloire, n'était pas habillé comme l'un d'eux [...] À chaque jour suffit sa peine. (Mt 6, 24, 28-29, 34)

BIBLIOGRAPHIE

AUDET, Jean-Paul (1967), «Foi et expression culturelle», dans J.-P. JOSSUA et Y. CONGAR, *La liturgie après Vatican II*, Paris, Cerf, coll. «Unam Sanctam», n° 66, p. 317-356.

BEAUCHAMP, André (1993), *Introduction à l'éthique de l'environnement*, Montréal, Éditions Paulines, 222 p.

BEAUCHAMP, André (2007), «L'animal dans la représentation chrétienne du monde», dans Marie-Hélène PARIZEAU et Georges CHAPOUTHIER, *L'être humain, l'animal et la technique*, Québec, PUL, 2007, p. 45-61.

BOFF, Léonardo (1994), *La terre en devenir*, Paris, Albin Michel, 259 p.

BOISVERT, Dominique (2005), *L'ABC de la simplicité volontaire*, Montréal, Écosociété, 158 p.

BOMBARD, Alain (1974), *La dernière exploration*, Montréal, La Presse, 199 p.

CARSON, Rachel (1962), *Silent Spring*, Boston, Houghton Mifflin, 368 p.

CHAPUT, Marcel, et Tony LE SAUTEUR (1971), *Dossier Pollution*, Montréal, Éditions du Jour, 264 p.

CMED (Commission mondiale sur l'environnement et le développement) (1988), *Notre avenir à tous* (document appelé aussi Rapport Brundtland), Montréal, Éditions du Fleuve, 454 p.

COMITÉ DES AFFAIRES SOCIALES DE L'ASSEMBLÉE DES ÉVÊQUES CATHOLIQUES DU QUÉBEC (1981 et 1991), *Les chrétiens et l'environnement* (texte de 1981, publié à nouveau en 1991 avec un commentaire du Comité des affaires sociales).

COMITÉ DES AFFAIRES SOCIALES DE L'ASSEMBLÉE DES ÉVÊQUES CATHOLIQUES DU QUÉBEC, *Cri de la Terre et cri des pauvres*, Message du 1er mai 2001.

CONGAR, Yves (1967), « *Situation du « sacré » en régime chrétien* », dans J.-P. JOSSUA et Y. CONGAR, *La liturgie après Vatican II*, Paris, Cerf, coll. « Unam Sanctam », n° 6, p. 385-403.

COSTE, René (1994), *Dieu et l'écologie*, Paris, Éditions de l'Atelier, 271 p.

COSTE, René, et Jean-Pierre RIBAUT (1991), *Sauvegarde et gérance de la création*, Paris, Desclée, 290 p.

DIAMOND, Jared (2000a), *Le troisième chimpanzé*, Paris, Gallimard, coll. « Essais », 468 p.

DIAMOND, Jared (2000b [1997]), *De l'inégalité parmi les sociétés* Paris, Gallimard, coll. « Essais », 484 p.

DIAMOND, Jared (2006 [2005]), *Effondrement*, Paris, Gallimard, coll. « Essais », 648 p.

DREWERMAN, Eugen (1993 [1981]), *Le progrès meurtrier*, Paris, Stock, 367 p.

DUMONT, Fernand (1964), *Pour la conversion de la pensée chrétienne*, Montréal, HMH, 237 p.

ELLUL, Jacques (1988), *Le bluff technologique*, Paris, Hachette, coll. « Pluriel », 748 p.

FOX, Mattew (1995 [1983]), *La grâce originelle*, Montréal/Paris, Bellarmin/Desclée de Brouwer, 416 p.

GIRARD, René (1972), *La violence et le sacré*, Paris, Grasset, coll. « Pluriel », 534 p.

HALL, Douglas John (1998), Montréal/Paris, Bellarmin/Cerf, coll. « Cogitation Fidei », n° 213, 334 p.

HÉNAFF, Marcel (2002), *Le prix de la vérité*, Paris, Seuil, 551 p.

HERVIEU-LÉGER, Danièle (dir.) (1993), *Religion et écologie*, Paris, Cerf, 255 p.

JEAN-PAUL II, *Le Rédempteur de l'homme* (4 mars 1979), Montréal, Fides, coll. « L'Église aux quatre vents ».

JEAN-PAUL II, « La paix avec le Créateur et toute la création » (8 décembre 1989), *L'Église canadienne*, 11 janvier 1990, p. 7-12.

KLAINE, Roger (2000 a), *Le destin de l'univers*, Paris, Cerf, 266 p.

KLAINE, Roger (2000 b), *Le devenir de l'humanité*, Paris, Cerf, 228 p.

LATOUCHE, Daniel (2006), *Le pari de la décroissance*, Paris, Fayard, 302 p.

LEMAIRE, André (2003), *Naissance du monothéisme*, Paris, Bayard, 193 p.

LEOPOLD, Aldo 1966 (1949), *A Sand County Almanach*, New York, Ballantine Books, 295 p.

MOLTMANN, Jürgen (1988), *Dieu dans la création*, Paris, Cerf, 419 p.

MONGEAU, Serge (1998), *La simplicité volontaire, plus que jamais...*, Montréal, Écosociété, 264 p.

PELT, Jean-Marie (1990), *Le tour du monde d'un écologiste*, Paris, Fayard, 488 p.

PELT, Jean-Marie (2008), *Nature et spiritualité*, Paris, Fayard, 301 p.

RAWLS, John (1987), *Théorie de la justice*, Paris, Seuil, 666 p.

RUFFIÉ, Jacques (1983), *De la biologie à la culture*, Paris, Flammarion, coll. « Champs », tome I, 303 p. ; tome II, 332 p.

VAILLANCOURT, Jean-Guy (1997), « Les prises de position du Vatican sur les questions d'environnement », *Social Compass*, vol. 44, n° 3, p. 321-331.

VÉRIFICATEUR GÉNÉRAL (2007), *Rapport du vérificateur général du Québec à l'Assemblée nationale pour l'année 2007-2008*, tome II, *Rapport du commissaire au développement durable*, Québec, < www.vgq.qc.ca>, 154 p.

VOGELS, Walter (1992), *Nos origines*, Ottawa, Novalis, 198 p.

TABLE DES MATIÈRES